JN114142

行動心理学

1分でスッキリ!

なぜ、あの人は予測を裏切るのか

匠英一［監修］

青春出版社

監修のことば

人のしぐさや態度、行動など、目に見える客観的な事実を通して、人間心理の謎を探究するのが「行動心理学」という学問です。

なぜ、他者はこちらが理解できない態度をとるのか。その行動にはいったいどんな意味があるのか――。もし、そういう疑問を持ったことがあるなら、ぜひ本書を手に取ってみてください。

行動と心理を関連させて考えることは、スムーズな人間関係のためには重要な視点です。ビジネスシーンであれば、取引先、お客様、上司や同僚の行動を正確に読むことで、自分の最善手を考えることができます。

なぜ、「続きはWEBで！」につられてしまうのか？　やりがいと報酬の意外な関係とは？　相手が失敗してもあえて「承認」したほうがいいケースとは？……。

本書では、最新の「心の科学」に基づいて、人のちょっとした動きから、心の中を知る方法を紹介しました。たいていの行動には、心理的な「裏づけ」があると意識するだけで、「なぜ、あの人は予測を裏切るのか」と頭を抱えることはなくなるはずです。よりよい人間関係を築く一助として、ご活用ください。

それでは、いっしょに人間の「心のサイン」を探す旅に出発しましょう。

2021年12月

匠　英一

3 心のサインを見抜けば〝次の手〟が決まります。

4 人のタイプが正確にわかるポイントがあります。

5 仕事ができる人は、人の心をつかむ人です。　104

カバー・本文写真提供■AdobeStock
本文イラスト■しゅんぶん
図版・DTP■フジマックオフィス
制作■新井イッセー事務所

1

その「行動」には理由があります。

同じ作業を続けている人が出してしまう心の合図

ラテにシェイク、フラペチーノなどメニューの種類が豊富なカフェに入ってしまうと、目移りしてなかなか注文を決められないことがある。

Aにしようか、Bにしようか…とさんざん迷った挙句、「本日のおすすめで！」と、それまで選択肢にもなかったおすすめメニューを選んでしまった経験はないだろうか。

このような突飛な行動をとらせているのは、「心的飽和」のせいかもしれない。

どれも魅力的だが全部はさすがにムリだから、ひとつを選ばなくてはならない。「さあ、どれを選ぶ？」「さあ、どうする？」と延々と自問自答しているうちに、それを考えること自体に飽きがきてしまうのだ。

飽きることを心理学では心的飽和といい、実験によると同じ作業を何度も繰り返させると、人はうんざりして作業をやめてしまうことが明らかになっている。

また、数ある中からおすすめメニューを選んでしまうのは、万一ハズレだったとしても「店のおすすめだったから」と言い訳が立つから。注文するというただそれだけの行動の裏に、さまざまな心理が渦巻いているのだ。

どれに
しようかな…
数分後
悩むことに
飽きた
心的飽和
迷って決められない人は、考えすぎて自分が何を望んでいるのかわからない状態になっていると同時に、損をしたくないという意識も働いている。そのため、無難なおすすめを選ぶことが多い。
本日の
おすすめ
ください
無難に…

他人が近づくと不快に感じる「距離」についての考察

エレベーターという小さな空間に見知らぬ人同士が乗っているとき、全員の顔が斜め上を向いているという光景に出くわすことがある。

扉の上にある階数表示板を見つめているのだが、だからといって、それほど階数を気にしているわけではない。これは、何かに集中することで心のバランスを保とうとしているときのポーズなのだ（親密性の平衡モデ

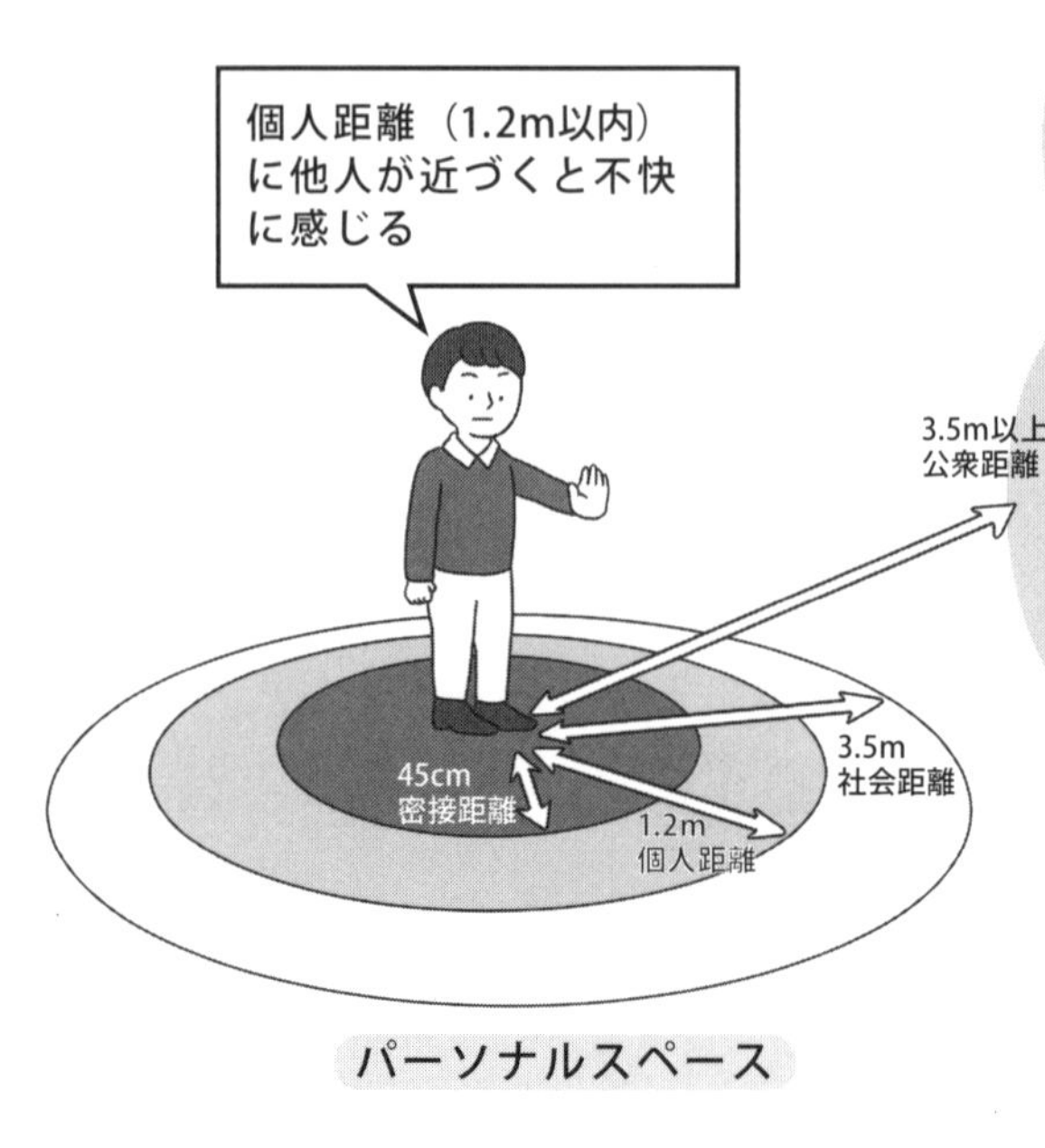

パーソナルスペース

ル）。

人には「パーソナルスペース」という自分の縄張りのようなものがあり、その空間にむやみに見知らぬ人が入ってくると落ち着かなくなる。

パーソナルスペースの広さは人によって異なるが、一般的に自分を中心とした半径1・2メートル以内の「個人距離」の内側に親しい友人や家族以外の人が入ってくると不快に感じる。

しかたがないとはいえ、エレベーターに大勢の他人と乗れば、パーソナルスペースは侵害されてしまう。そこで本来の心理的なバランスを保つために、一点を見つめてしばしの不快感をやり過ごしているのである。

見知らぬ人同士が互いのパーソナルスペースを侵害していて、距離感と親密性のバランスが崩れている。そのため一点を見つめて〝気配〟を消し、この場を切り抜けようとしている。

パーソナルスペース欲求

電車で端の席に座りたがる人が恐れていること

窓を背にして座るロングシートの電車に乗っていると、すでに席を確保しているにもかかわらず、端っこの席が空くとさっさとそこに移動する人がいる。

じつは、電車の両端の席に人が座りたがるのにはワケがある。それは、その人の「パーソナルスペース欲求」が働いているせいだと考えられる。

今では環境が変わり、地球上の生物界の頂点に立った人間だが、大昔は肉食獣に捕食される存在だった。そのため、生きていくには周囲に危険が近づいていないか常に気を配っておく必要があった。四方八方、いつ、どこから襲われるかわからないような無防備な状態よりも、少しでも安心のあるパーソナルな空間をつくろうとするのだ。

そんな自分を守りたい気持ちが、電車の端の席を好むという行動にも表れているのだ。

もちろん、身の危険を感じながら電車に乗っている人はそうそういないだろうが、たしかに自分の体が手すり側の面と背面の2面に囲まれていると安心感がある。

人間のDNAは太古の恐怖心を未だに忘れられないのかもしれない。

初期の人類は野生動物に捕食されていた

広い草原では360度が
スキだらけ

岩陰や洞窟なら背後が
守られる

電車の車内で立っているときも、安全圏に身を置きたいという気持ちから、入り口付近の壁側の空間を確保する人は多い。

2面を守られると落ち着く

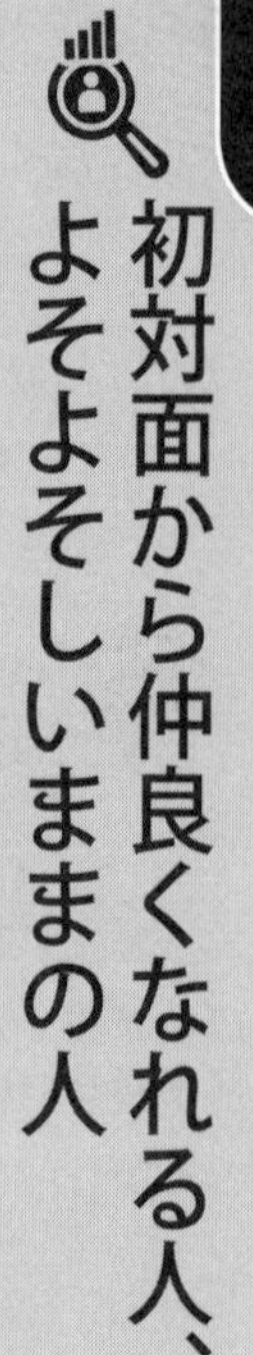

初対面から仲良くなれる人、よそよそしいままの人

〝ひとり焼肉〟に〝ひとりカラオケ〟、それに独身男性がひとりで外食を楽しむ姿を描いたドラマの人気も相まって、ここ数年で「おひとりさま」に対するハードルはかなり下がったといえるだろう。

とはいっても、人間は孤立が苦手だ。昔から他者との結びつきによって天敵と闘い、食べ物を確保して生存してきたのだから、ひとりぼっちでいることが好ましくないことは本能的に感じとっている。

だからこそ、人は誰でも他者と仲良くなりたい、一緒にいたいという欲求を持っている。

そして、自分をオープンにすることで相手との距離を縮めようとする。これを「自己開示」という。

しかし、どんなに一方が自分をオープンにしても、もう一方が頑なに自分のことを話そうとしなければ、2人の間には眼には見えない歴然とした壁を感じるものだ。

もし、誰かと雑談をしていて相手が自己開示を始めたら、相手のトークに合わせて「じつは自分も…」と自分のことを少しずつ開示してみると、徐々に人間関係を構築していくコツのようなものが見えてくるはずだ。

初対面の相手と…

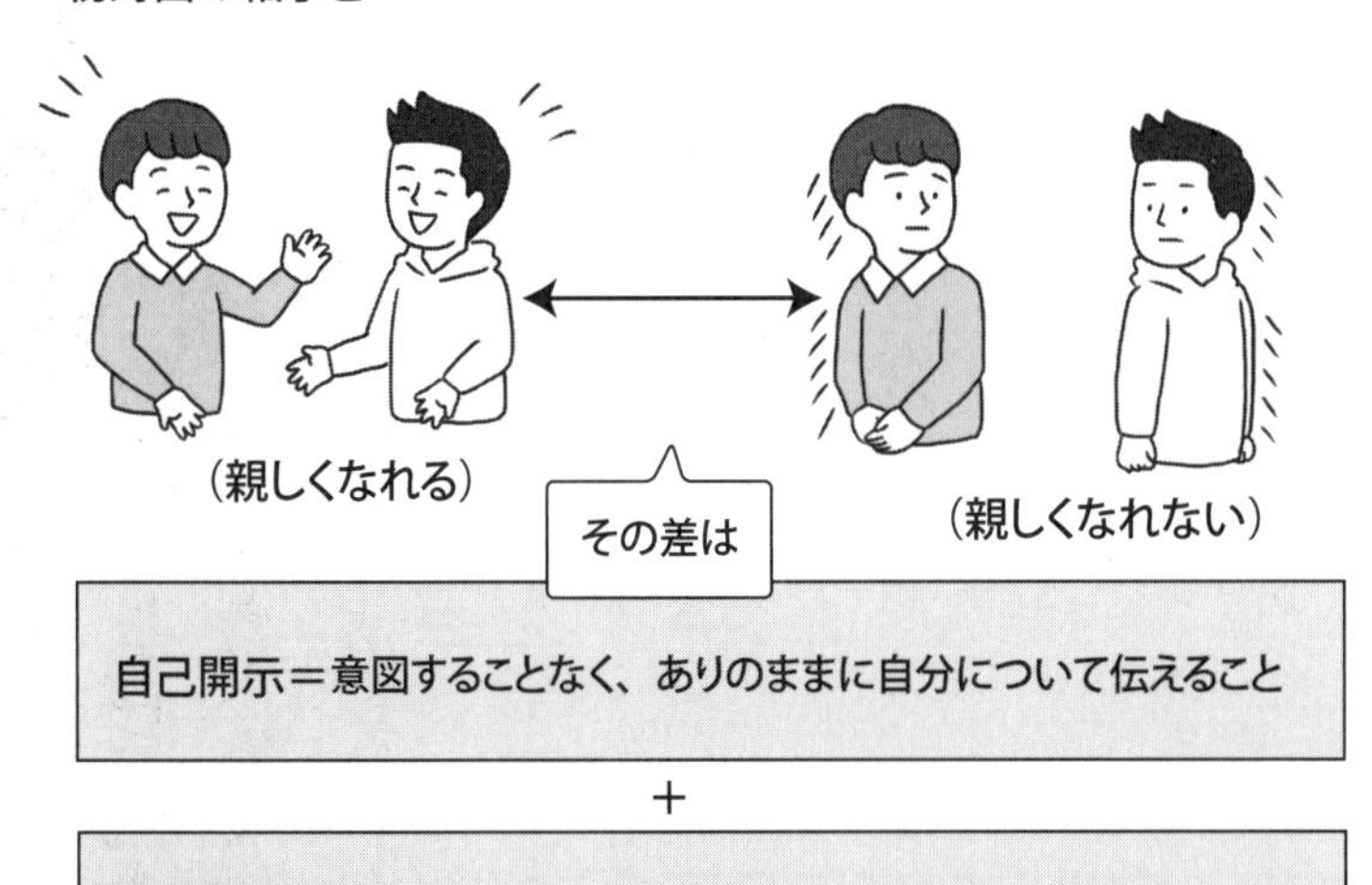

自己開示＝意図することなく、ありのままに自分について伝えること

＋

返報性の現象＝相手に自己開示されると、自分のことも伝えたくなる

人はなぜ他人とつながりを求めないではいられないのか

結婚についての考え方は人それぞれだ。そのとき自分が置かれている状態によって、気持ちが微妙に変わるのはよくあることだ。

それでも多くの人の頭に「結婚」の2文字がよぎるタイミングには共通点がある。それは「つらい…」と感じた瞬間だ。

もともと厳しい自然界にあって、肉食動物から身を守るために、草食動物は群れで生活して

他者と温かい関係を築き、維持したい

いた。人間は草食動物ではないが、かといってライオンのように単独で獲物を捕獲できるほどの強さはない。だからこそ人間は協力し合って生きてきたのだ。

また、人にはもともと自分に好意的な人と一緒にいたいという「親和欲求」があるうえ、危機的な状況下ではお互いに愛着が高まることもわかっている。

つらいときに誰かにそばにいてほしいと思うのは、人間の本能なのである。

実際、2001年にアメリカで同時多発テロが起きた後、婚姻数が20％増えたというデータもある。

心細さを強く感じるほど、人は人を求めるのである。

大災害などが起きた後、結婚するカップルは増えるが、同時に離婚の数も増える。結婚するのは愛着面から、離婚するのは経済面からがその主な理由とされている。

緊張すると自分の体を触ってしまうのには理由がある

大勢の人が集まる会議ではWEBで行うスタイルが浸透してきた。

はじまりは新型コロナウイルス感染予防のための対策だったが、慣れてしまえば意外と気楽なものであることがわかってきたのも大きい。

とはいえ、何人もの顔がモニターに映っているなかで自分が発表者になるのはやはり緊張するもので、カメラに映り込んでいないところで腕やヒザをしきりに撫でさすりながら発言しているという人も少なくないようだ。

気持ちが落ち着かないときに自分の体に触れるのは、不安や緊張があると誰もがやりがちな「自己親密行動」と呼ばれるものだ。

たとえば、眼が疲れたときに手のひらを押し当てるとリラックスした気分になるように、手のひらで体に触れると安心効果がある。

そのため、緊張していると無意識に体を触って自分を落ち着かせようとするのだ。

リアル会議で頻繁にヒザをさすっているとさすがに落ち着きがないと思われそうだが、WEB会議なら気づかれることもない。心置きなく自己親密行動をとりつつ、人前で話す練習をするいいチャンスかもしれない。

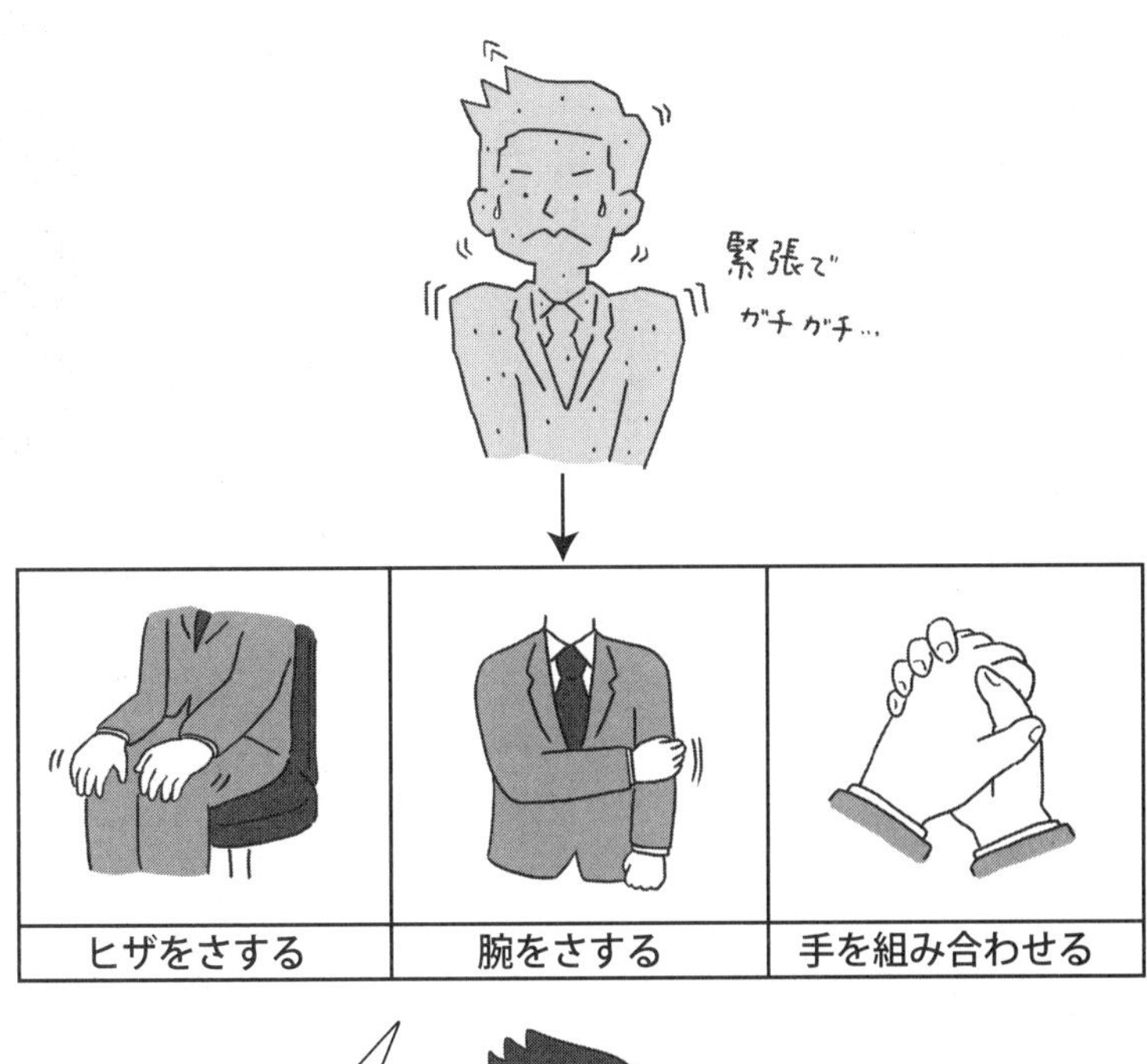

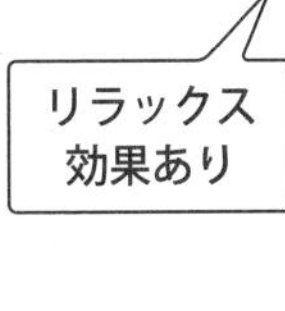

「いたいの　いたいの　とんでいけ〜」というおまじないには、手のひらを痛い部分に当ててさすることで、痛みを脳に伝わりにくくする効果がある。また、人にさすってもらうことで、〝幸せホルモン〟と呼ばれるオキシトシンが分泌され、痛みやストレスが大きく緩和されることがわかっている。

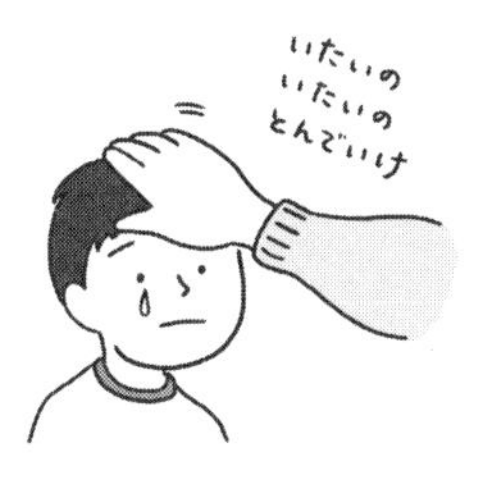

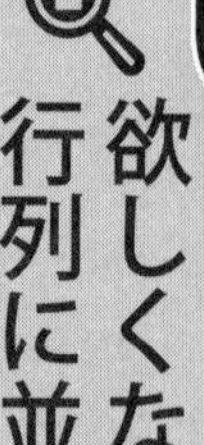

欲しくなくても、行列に並んでしまうのはなぜ？

連日メディアで紹介され、社会現象になるほどの話題のスイーツの店ともなると長蛇の列ができる。

しかし、行列ができているからといって、それがおいしいことを保証するわけではない。人によって味覚も異なる。それでも並びたくなるのは、「社会的証明の原理」（バンドワゴン効果）によって説明できる。

社会的証明の原理とは「外資系投資会社で働く人＝すごい人」とか、「業界トップの会社＝いい会社」など、根拠はさておき世の中から太鼓判が押されていることに対して、世の中が高評価を与えているのだから間違いないと深く考えることもなく納得することである。

だから、「全国的に人気のスイーツ＝おいしい」という等式が成り立ち、本当に欲しいかどうかは二の次にして行列に並んでしまうのだ。

しかし、世の中の評価を鵜呑みにするのは危険でもある。有名人がすすめているのだから大丈夫…と怪しい儲け話に乗って損をするなどの被害も跡を絶たない。

本当に価値あるものかどうかは、自分で情報収集をして考えるしかないのである。

行列の先にあるのは「社会的証明」

みんながスゴイと
いっているお店
こんなに並んでいるのだから、おいしいはず
自然発生的な流行？
マーケティングの成功？

ＹＥＳは自分だけ…？
自信がなくなってきた…
YES

NO

人間は、「多くの人に支持されているものは正しい」と思い込んでしまうため、自分の意見や行動に疑問を抱いてしまう。

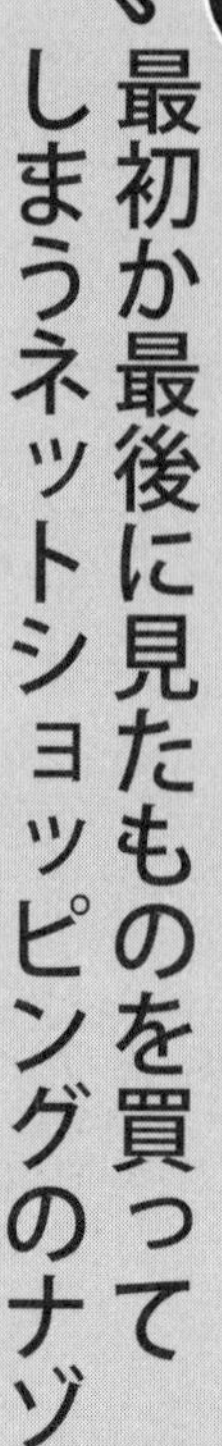

最初か最後に見たものを買ってしまうネットショッピングのナゾ

リアルな店舗での買い物と違って、ネットショッピングの場合は検索するだけで欲しい商品にアクセスできる。でも、だからといって買い物に時間がかからないかというと、そうでもない。

１００％満足できるものを求めて検索を繰り返した挙句、なかなか買いたいものが決まらずに、結局、膨大な時間と労力を費やすハメになったりする。

それでも、どんなにたくさん選択肢があり、迷ったとしても、選ばれやすい商品があるのだという。それは最初に見た商品と、最後に見た商品だ。

これはそれぞれ「初頭効果」「新近効果」と呼ばれるもので、最初と最後に見たものは印象に残りやすいのだ。並んでいる商品がまったく同じものであっても、実際に購入するのは最初、もしくは最後に見たものが多いのだという。

きちんとスペックを確認してじっくりと吟味して決めることももちろんあるだろうが、選択肢の中にこれといった決定打がなければ、「最初に見たものでいいか」となっていることも意外と多いのである。

どれだけ選択肢があっても

最初に見たものが選ばれやすい
→ 初頭効果

最後に見たものが選ばれやすい
→ 新近効果

どちらも〝キリ〟がいい！

〈似たようなサイズ、色、素材の商品でも…〉

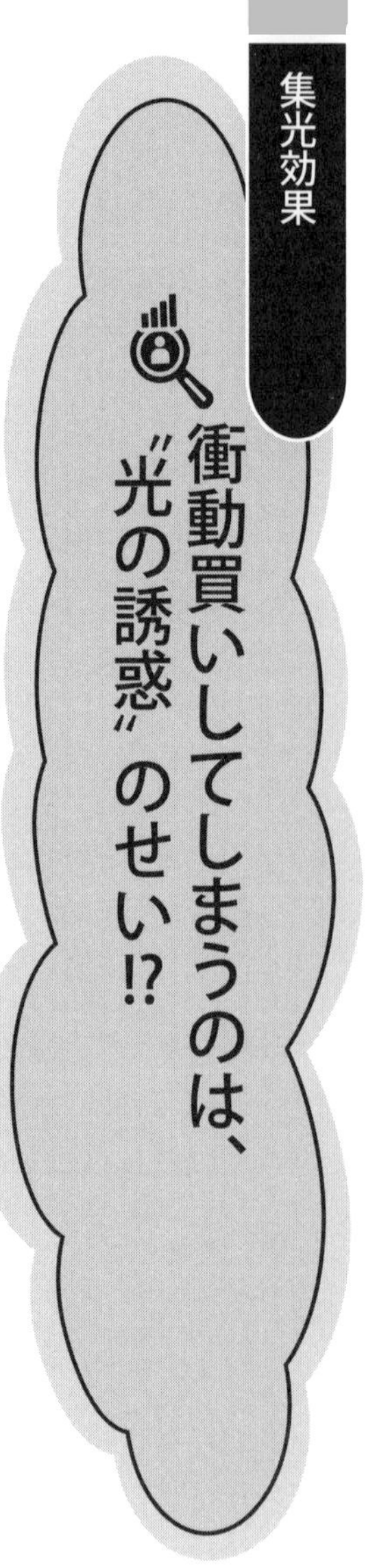

衝動買いしてしまうのは、〝光の誘惑〟のせい⁉

真夏の夜に電灯に集まってくる虫ではないが、人間も光に集まる習性があるようだ。明かりがほとんど消えた真夜中の商店街で煌々（こうこう）と光輝くコンビニを見つけ、用もないのにフラフラと入っていった経験はないだろうか。

たいしてお腹が空いているわけでもないのに、ついついアイスやデザートに手が伸びたり、飲み物を買ったりしてしまう。これも、ひとつには光の誘惑のせいなのだ。

たとえば、夜間に営業しているレストランや居酒屋などは光のトーンを抑えていることが多いが、それに比べてコンビニの光はかなり明るい。

しかも電球色のオレンジっぽい光ではなく、昼間の太陽光のように自然な明るさなのが特徴だ。じつは、太陽光には食べ物をおいしそうに見せる効果があるのだ。

また、深夜にネットのショッピングサイトを見ていて、うっかり衝動買いしたという経験のある人も多い。暗い部屋の中で、そこだけ強い光を放つスマホの画面に魅力的な商品が並んでいると、深く考えずに注文ボタンを押してしまうのである。

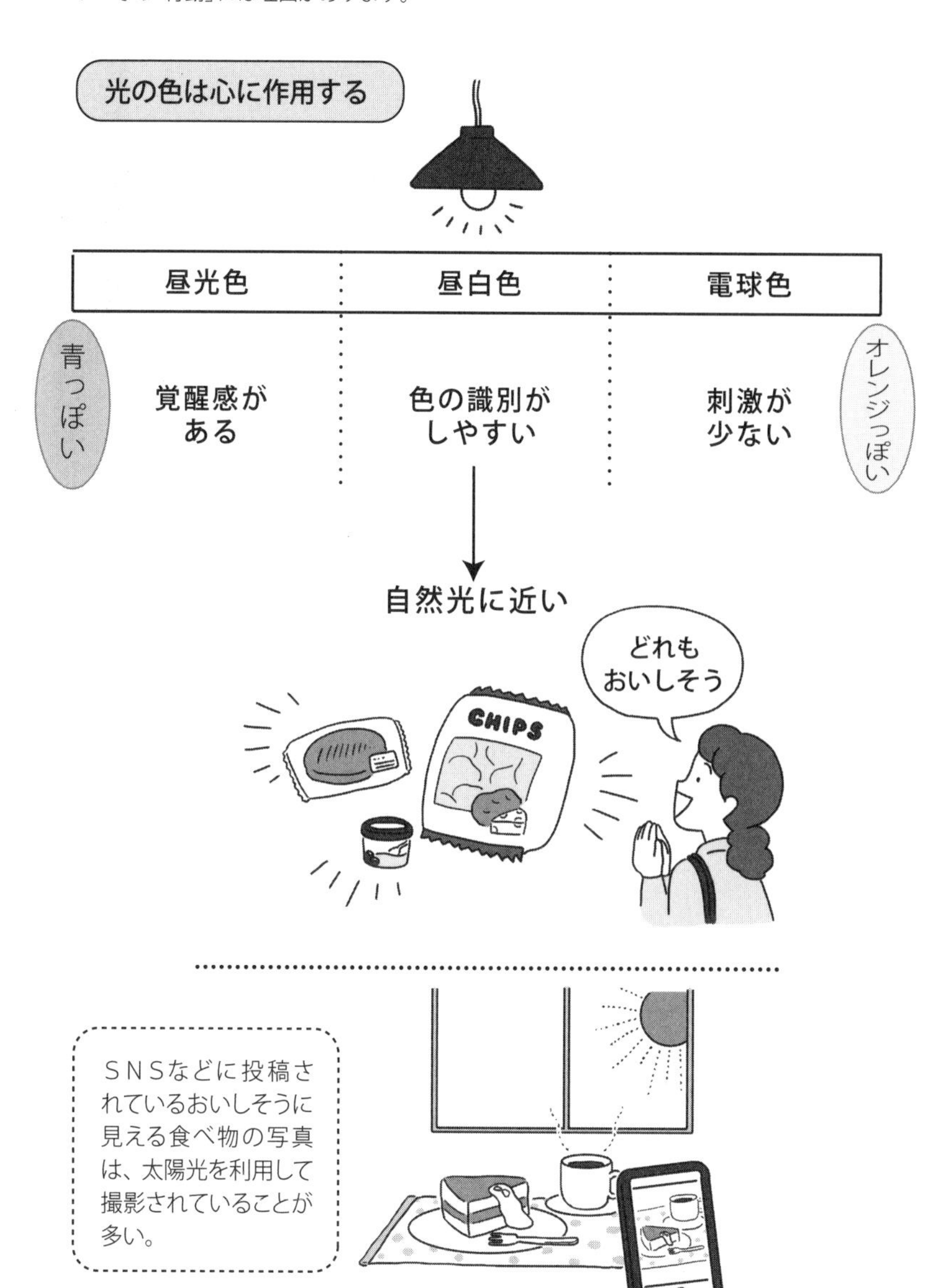
光の色は心に作用する
昼光色
昼白色
電球色
青っぽい
覚醒感がある
色の識別がしやすい
刺激が少ない
オレンジっぽい
自然光に近い
どれもおいしそう
CHIPS
ＳＮＳなどに投稿されているおいしそうに見える食べ物の写真は、太陽光を利用して撮影されていることが多い。

将来のことより、現在の利益を優先してしまうワケ

買いたい商品を手に持ったまま店内を歩いていると、すかさず買い物かごを持ってきてくれる店員がいる。しかし、無駄遣いをしたくないと思っている日は、受け取らないほうがいいだろう。

なぜなら、買い物かごを持った途端に余計なものまで買ってしまう確率が高まるからだ。

これは、かごの中に商品をひとつだけ入れた状態でレジに行

◉買い物かごがないと

◉買い物かごを持つと

くのは何となく気が引ける、という理由だけではない。

　買い物かごを持てば、ひとりで持てるものの量が格段に増える。そうなると、今買わなくていいものも、ポイッと入れてしまう。また、そんなに欲しいと思っていなかったものでも、「現品限り！」と書いてあると、次は手に入らないから…という思いが湧いてきて手が伸びる。

　その結果、思った以上の買い物をしてしまうのだ。

　このように先々のことよりも、目の前の楽しさや利益を優先させてしまうことを「現在志向バイアス」といい、多くの人はいとも簡単にこのバイアスにかかってしまうのだ。

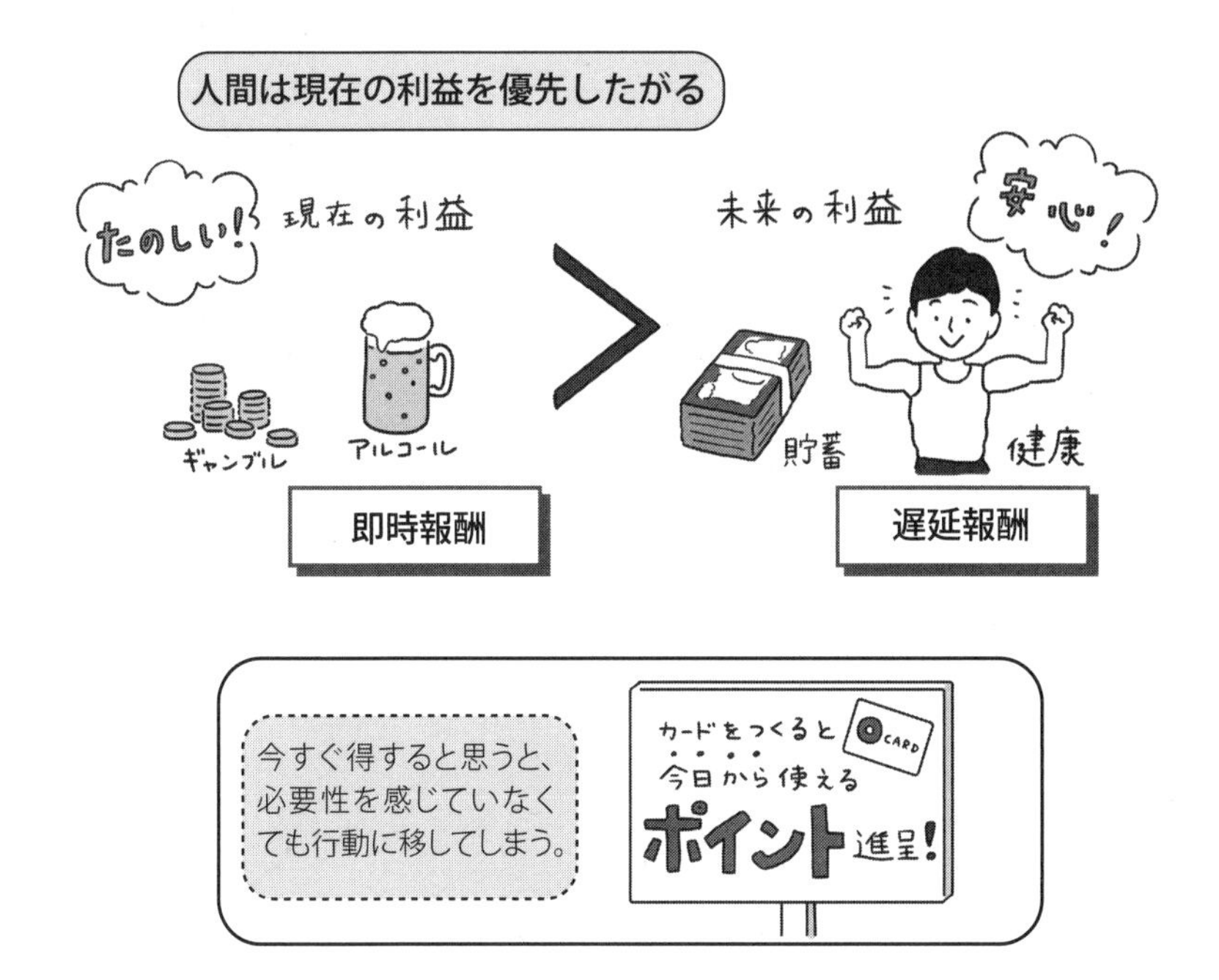

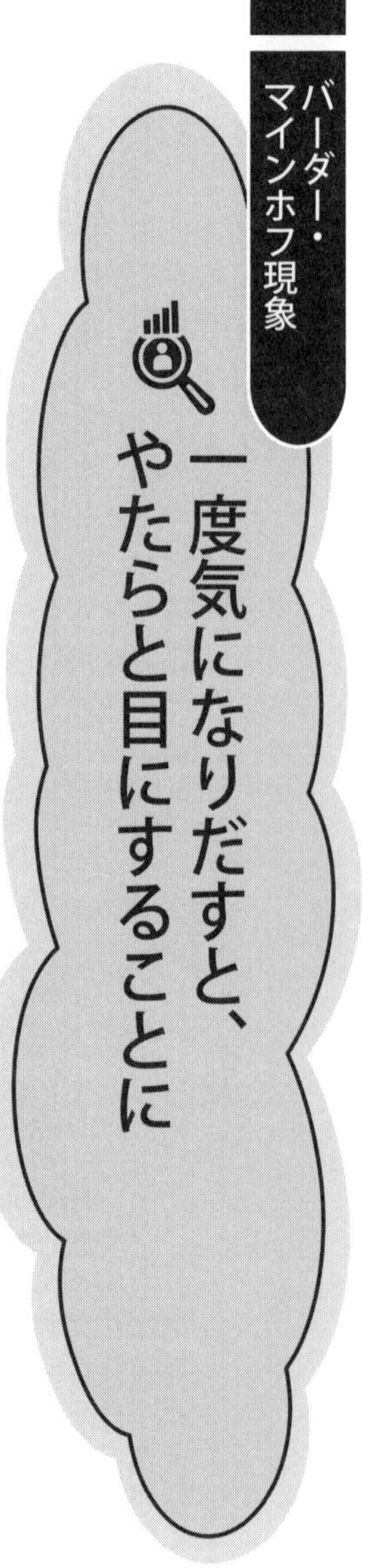

一度気になりだすと、やたらと目にすることに

それまで知らなかった新しい情報を目にすると、なぜかその直後から関連する情報がどんどんと飛び込んでくるようになる。これを「バーダー・マインホフ現象」という。

これはある人物が、友人からかつてドイツに存在したバーダー・マインホフというテログループの話を初めて聞いた後、テレビでバーダー・マインホフのニュースを観て驚いたという話がもとになっている。

このエピソードを新聞に投稿したところ、同じような体験談が集まってきたのだという。意識することで「選択的注意」が働き、今までスルーしていた情報が引っかかってくるというわけだ。

ところで、スマホやパソコンを使っていると、これと同じような現象はしょっちゅう起こる。初めて耳にした商品をキーワード検索してみれば、すぐに類似した商品の広告が表示されるからだ。

これは、グーグルなどのプラットフォーマーがユーザーの閲覧履歴を追跡しているからで、けっして偶然ではないことはご存じの通り。ネットの中で純粋なバーダー・マインホフ現象を体験するのはむずかしいのだ。

私も！
オレもある！
同じような経験のある人が多数
＝
新たな知識を得ることで注意の選択が変わる
＝
バーダー・マインホフ現象
バーダー・マインホフって知ってる？
知らない
バーダー・マインホフが…
えっ？
テレビでバーダー・マインホフ観たよ
えっ？

Cookieによる閲覧履歴の追跡
Chrome
Edge
Safari
GAME
さっき検索した新作ゲームの広告だ!!

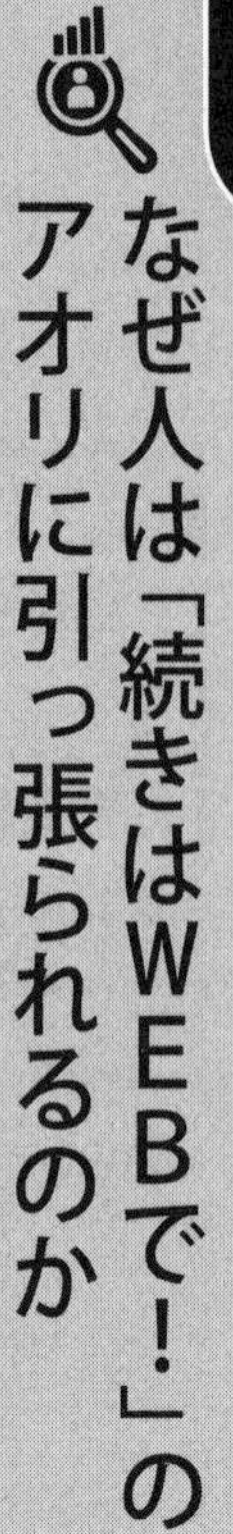

なぜ人は「続きはWEBで！」のアオリに引っ張られるのか

テレビCMなどで商品説明が途中で終わり、「続きはWEBで！」という広告手法はすっかり定着した。これは、中途半端に終わっていることで観ているほうが達成感を得られず、かえってその印象を強めてしまっているということだ。

続きが気になるのは「ツァイガルニク効果」と呼ばれる心理現象によるもので、人間は達成した物事よりも、途中で終わってしまったことや、成し得なかったことをよく覚えている傾向があるのだ。

この現象についてドイツの心理学者レヴィンが提唱し、旧ソ連のツァイガルニクが実証実験を行っている。それによると、被験者に複数の課題を与えると、最初にひとつ完成させてから次に取りかかるよりも、やり終えていない段階で次に進むほうが2倍もその内容を記憶していたのだ。

電子書籍で漫画が1巻だけ無料で読めるとか、1話だけ試し読みできるというのも、続きが気になる状況をつくり出し、購買につなげるやり方だ。多くの場合、ワンクリックで購入できることもその効果を十分に高めているといえるだろう。

ツァイガルニク効果 ＝達成できなかったことをより認識する

やり終えないほうが
2倍 記憶している！

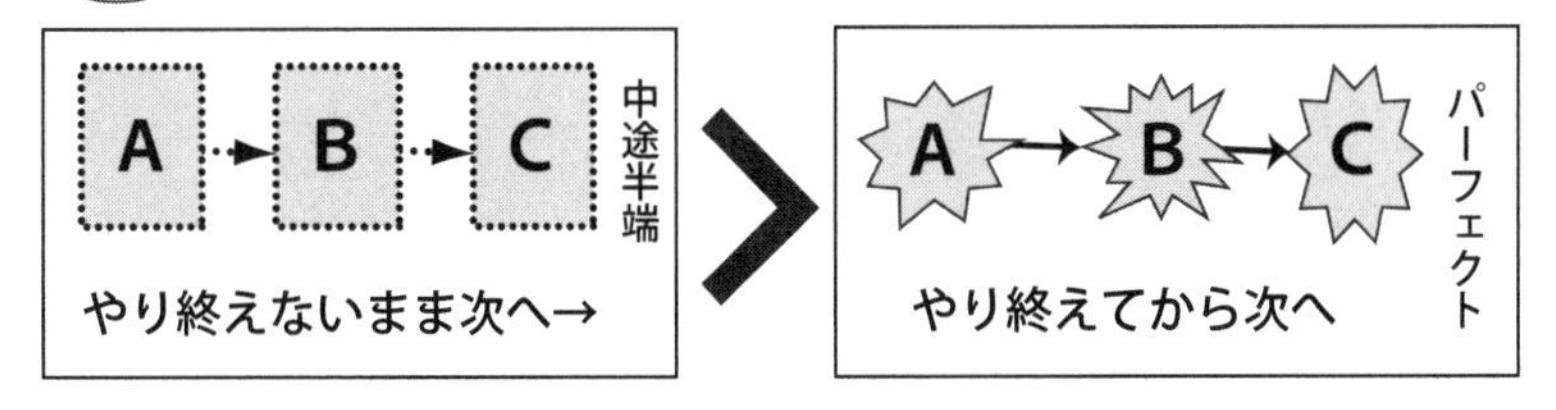

より多くのことをインプットしようとするなら、ひとつの課題で 100 点満点を目指して時間をかけるのではなく、8 割の合格点でよしとして、量をこなすほうが得策になる。

結局、強制よりも、そっと押したほうが人は動く

新型コロナウイルスのパンデミックは、新しい生活様式を定着させた。

外に出る際はマスクを着用する、レジに並ぶときは前の人との間隔を空ける、店や施設に入る前に手指をアルコール消毒するなどだ。

しかし、新しいルールを一人一人に徹底させるのは簡単なことではない。いちいち「間隔を空けてお並びください」とか「消

人は"足型"シールに誘導されている

毒をしてください」などと言われるのもうるさいし、言うほうにしても角が立って面倒である。

●強制しなくても思い通りに

だが、人間の深層心理を理解していれば、そんな面倒な声かけなどしなくてもよくなる。それが、2017年にノーベル経済学賞を受賞した「ナッジ理論」だ。

ナッジとは「そっとヒジで突く」という意味の英語だが、そっと突かれた人間は、突いた人の思い通りの行動をするようになるのだ。

たとえば、レジから少し離れたところに足型のシールが貼ってあり、そこからレジに向かっ

て矢印が描かれていたら、そのシールに従って人は並び、レジに進む。

また、1メートル間隔で床に足型シールが貼ってあったら、ほとんどの客はシールの場所に立って並ぶ。わざわざ貼り紙をしたり、大声で案内することはないのだ。

このように強制されなくても、個人が自発的に行動するよう人間心理に働きかけることができるのが、ナッジ理論の特徴だ。

「ペットのフンはお持ち帰りください」や「飲食禁止」などと、やたらと看板や貼り紙が多い日本だが、アイデアしだいでは景観を台無しにする看板を取り払うことができるのだ。

●黙っていても「×」印を避けて座る

話を冒頭に戻すと、新型コロナウイルス対策でもこのナッジ理論は随所で活用されている。

たとえば、役所や銀行、病院、飲食店などで、イスやソファに間隔を空けて「×」印の紙やぬいぐるみなどが置いてあるのを見かけたことはないだろうか。来店者はこれを見て〝無印〟の席に座るのだが、これは密接対策の取り組みの一環である。

また、京都府宇治市の「イエローテープ作戦」では、来庁者が庁舎の入り口に置いた消毒用アルコールに気づきやすいように、床に矢印のテープを貼ったところ、利用者が1割ほど増したという。

このアイデアは今では全国の自治体に普及しており、市民の消毒意識が高まったことはいうまでもない。

ナッジ理論の応用例はこれだけではない。左のページにあるように私たちの生活の中に違和感なくすっきりと溶け込んでいる。社会性があり、シンプルなメッセージで伝えられ、面倒や手間を省いてある。これがナッジ理論の最大の特徴でもある。

《人の行動を変えたナッジ理論の具体例》

＊「ここは自転車捨て場です」とシャッターに貼り紙をする

＊男性用トイレにハエのイラストを描く

＊ゴミ箱の上にバスケットボールのゴールを設置する

＊エスカレーター横の階段をピアノの鍵盤に見立て、踏むと音が鳴るようにする

2

その「会話」には〝狙い〟があります。

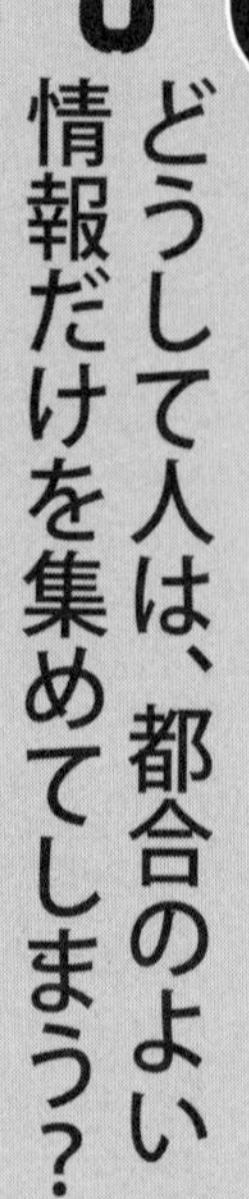

どうして人は、都合のよい情報だけを集めてしまう？

子どもの頃、親に向かって「クラスのみんなが持っている。持っていないのは自分だけ。だから買って！」と欲しいものをおねだりした記憶はないだろうか。

　このとき、持っていない友達のことは頭にはない。持っている友達がわずか3人でも「みんな」と言ってしまうこの心理は、「確証バイアス」という言葉で説明できる。

　確証バイアスとは、自分の願望を裏づけるような情報ばかりを重視し、そうでない情報をスルーしてしまう偏った心理のことだ。

　こうした心理はしばしば悪徳商法にも利用されるので気をつけたい。

　ちなみに、人は「このままでは大変なことになりますよ」といった脅し文句では一時的な恐怖心を持つだけで、意外とすぐ忘れる。だが「私は○○をして××したら痩せましたよ」といった具体的な成功体験にはポジティブな印象を持つ。そこで、こんなセリフとともに目の前に商品を差し出されたら、「実際に痩せた人がいるんだ！」と購入へのハードルはグッと下がってしまうのだ。

　とくに思い込みの強い人は引っかかりがちなので要注意だ。

クラスのみんなが
持っているのに
買ってくれない…
クラスの全員が
持っているわけ
ないでしょ！
◉確証バイアス
自分に都合のよい
情報ばかりを集め
てしまうこと
3人にしか
聞いていない
という都合の悪い
情報はスルー
私はこれを
飲んで
痩せましたよ！
試したい！
いいなー
成功体験でアピールする

話のテンポ、身振り手振り…「言葉」と本心のズレを見抜け

相手の本音を見抜くには、会話の内容だけではなく、話の速度や相手のしぐさに注目してみるといい。

最もわかりやすいのは声のトーンで、ウソをつき慣れていない人は、いつもより声が高かったり、上ずったりする。

では、ウソの常習犯はどうかというと、声のトーンは抑え気味でも、意外と会話の速度にまでは気を配っていない。ウソの

言葉以外の情報
＝
パラランゲージ

《ウソを見抜くポイント》

- 急に早口になる
- 相槌が食い気味になる
- 会話の内容と表情や身振りが相反する

部分だけ少し駆け足で話すことが多いのだ。

急に早口になったり、問いかけへの相槌が食い気味になるときは、そこの会話にウソが潜んでいる可能性があるのだ。

こうした言葉以外の非言語コミュニケーションの働きを「パラランゲージ」と呼ぶ。これには声の大小や強弱、テンポ、身振り手振りなども含まれる。

パラランゲージには多くのヒントが隠れている。たとえば、口では「信用しています」と言いながら、あさっての方向を見ている人。「楽しい」を連発しながら、ギュッとこぶしを握っている人。その心の中は言わずもがなである。

それは単なる言い間違い？それとも本音？

自分が過去にとった言動で、今思い出しても顔が赤くなるようなミスは誰にでもある。そのひとつが、言い間違いだ。

たとえば、見た目が若い人に「若いですね」と言おうとして、「若づくりですね」と言ってしまったり、声が特徴的な友達に「鼻にかかった声だよね」と言おうとして、「鼻につく声だよね」と言ってしまったりすることがある。

気がついて慌てて訂正しても、そこには微妙な空気が流れて後の祭りとなるわけだが、じつはこういう言い間違いで出た言葉は隠された本心だと指摘した人がいる。それが精神科医で、精神分析の第一人者であるフロイトだ。

フロイトは、「言い間違いは、抑圧された欲求や、秘密の欲求をうっかり明らかにしてしまう心理」ととらえ、「無意識の失言」という理論を提唱している。

もしも、あなたが相手にこのような言い間違いをされたら、その場はサラッと流すのが大人の対応だ。だが、その一方で「この人の本心はそこにあるのかもしれない」と心の隅に留めておくこともお忘れなく。

無意識の失言

いつも同じ上司の名前を間違えたり、大事なことに限って言い間違いをする…。こうした錯誤行為は深層心理と関係があり、その失言は本音である可能性が高い。

言い間違い？
それとも本音？

「いつも若いですね」
と言うつもりが…

いつも若づくり
ですね

「鼻にかかった
声ですよね」と
言うつもりが…

鼻につく声
ですよね

言い間違えた言葉が、相手の本音である可能性は高い！

ミラーリング

文字通り、〝相手に寄りそう姿勢〟が、距離を縮める突破口に

初対面の相手でもポンポンと会話のキャッチボールができる人がいる一方で、世間話にも四苦八苦するタイプもいる。

もし自分が話し下手だと思うようなら、無理に話そうとせず、聞く側に徹し、さらに「ミラーリング」をつけ加えるといい。

ミラーリングとは相手のしぐさや言葉などを真似することで、これには好感度や親近感をアップさせる心理効果がある。

たとえば、相手がペンを持ったら自分もペンを持つ。相手が机に前かがみになったら自分も前かがみになる。「最近眠れないんですよね」と言われたら、「最近眠れないんですか」とオウム返しをしてみる。

じつは、好感を持たれやすい人はこれを無意識でやっていることが多い。同じような言動をとることは共感力にもつながり、自然と距離が縮まるのだ。

とくに表情を真似することは効果的だ。相手が笑顔で話しているときは笑顔で聞き、真剣な表情で話しているときは真剣に聞く。もちろん、相手のタイミングにぴったり合わせるのは不自然なので、少し遅れて真似するなど不自然にならない気遣いは必要だ。

《ミラーリングの効果》

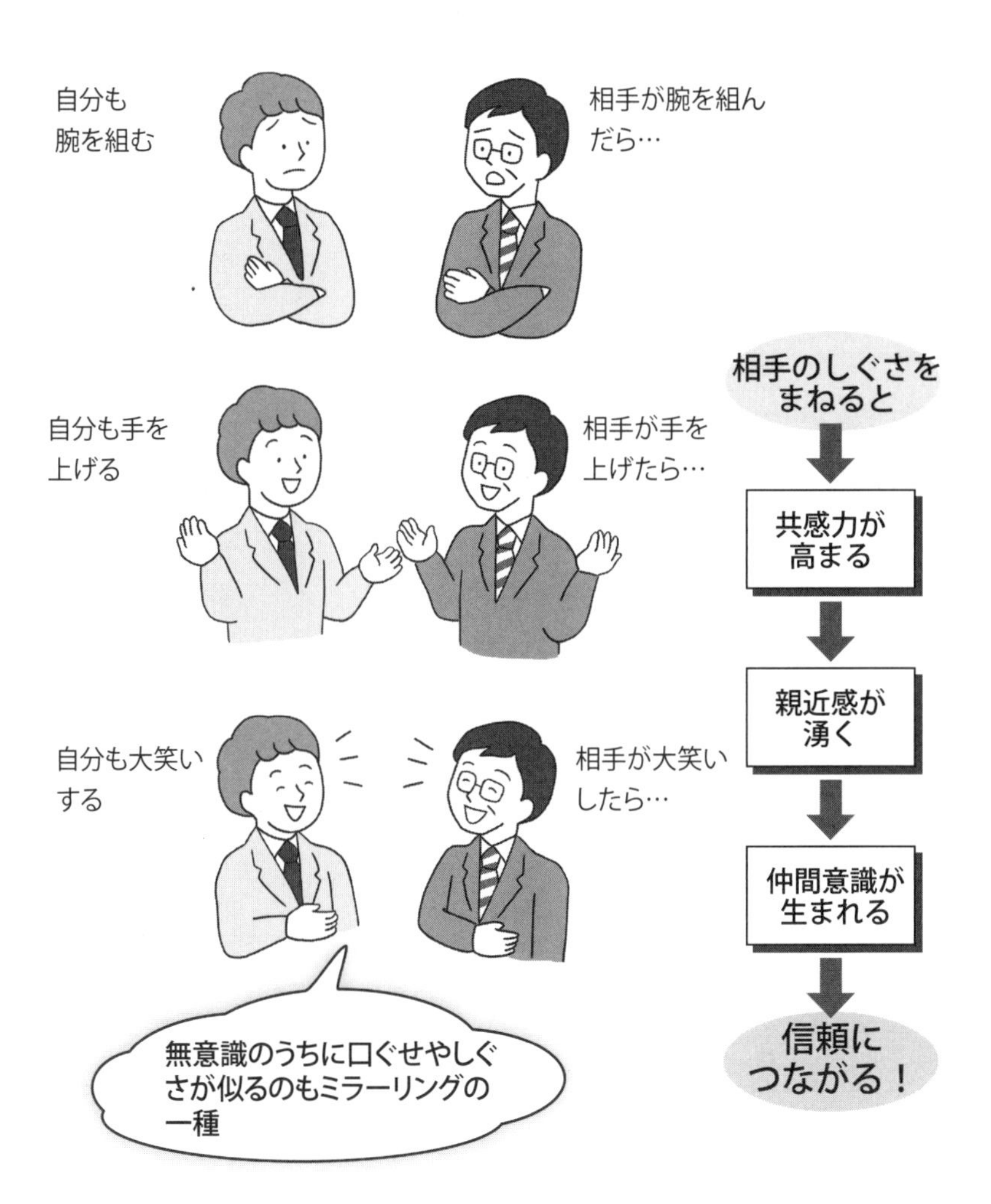
自分も
腕を組む
相手が腕を組ん
だら…
自分も手を
上げる
相手が手を
上げたら…
自分も大笑い
する
相手が大笑い
したら…
無意識のうちに口ぐせやしぐさが似るのもミラーリングの一種
相手のしぐさをまねると
共感力が高まる
親近感が湧く
仲間意識が生まれる
信頼につながる！

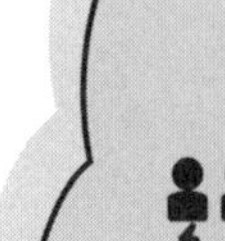

“ブレない自分”でいたい心理は、ココでつけ込まれる

家電量販店で掃除機を眺めているときに店員に話しかけられたとする。

「その掃除機、カッコいいですよね」

「ひと昔前のものより、はるかに機能が充実していると思いませんか」

店員から投げかけられたこうした問いかけすべてに肯定的な相槌を打つようなら、あなたはもう購入の一歩手前まできている。そのときにはすでに「一貫性の原理」の心理が働いているからだ。

一貫性の原理は一度肯定的な態度を示したら、それを貫きたいと思う人間心理のことである。この原理が働いて肯定的な返事を連発したあと、店員から「もう在庫もわずかなので、ぜひいかがですか？」と畳み込まれると、これにもつい「そうですね」と答えてしまう。そうすることで、自分の中ではブレない態度を貫けるからだ。

見方を変えれば、ガードの固い相手を崩したいときなどにこの心理作用を応用できる。

まず、相手がイエスと答えるような会話をして、一貫性の原理を引き出す。それから、満を持して本題を持ちかければ、最終的に「イエス」をもらえるかもしれない。

ひと昔前より機能も格段に上がっているんです
その掃除機、カッコいいですよね
いいですね
そうですね
もう在庫も少ないので、いかがですか？
もちろん
いつでも手軽に掃除できるのっていいですよね
そうですね。買います！
ブレない！
ブレない自分でいたい！
一貫性の原理
相手からの問いかけで
肯定する言葉を投げ続けられると、
最後まで肯定的な態度を貫いてしまう

ブルーな月曜日？ キケンな水曜日？ お願いごとなら金曜日!?

古代ローマ人が考えた「曜日」という概念は、今や現代人の暮らしにすっかり根づき、そのせいか曜日によって気分が変わったりすることもしばしばだ。

日曜日の夕方に、翌日の出勤や登校のことを思い、気分が落ち込む「サザエさん症候群」はもちろん日本特有のものだが、その気分を引きずったかのように、月曜日はまったくやる気が起きないことを意味する「ブルーマンデー」と

いう言葉もおなじみだ。

また、あるアメリカの大学の調査によれば、ちょうど気持ちが緩んできた水曜日に、人は対人トラブルを起こしやすいというデータもある。

ところで、誰かに頼みごとをしたい場合は、金曜日がおすすめだ。金曜日は多くの社会人にとって休みの前日になる。おおむね仕事のメドもつき、気分的にはすでに週末モードだ。

そこで、「申し訳ないんだけど、このクライアントを引き受けてくれないかな」とお願いしてみると、意外とあっさりＯＫが出たりする。気持ちにゆとりがあるので、「来週ゆっくり考えればいいや」と、受け止めることができるからだ。

メリットとデメリットを同時に伝えたほうがいい理由

「今年の夏は晴れの日が少なかったため、果肉の甘みは弱いです」

「先月の台風の影響で価格が高騰しています。ほかの野菜もご検討ください」

スーパーの売り場で最近たまに見かけるのが、商品に添えられているこのようなカードだ。店によって呼び名は違うだろうが、本来は売りたいであろうその商品のデメリットを、あえて堂々と掲示する。買い物客にとっては、ありがたいアドバイスである。

おそらく、このカードを見て不愉快な気分になる客はいないはずだ。むしろ、「なんて正直で消費者思いの店なんだ」と感激し、よりいっそう店への信頼を深めるに違いない。

これは、いい面だけではなく、悪い面も同時に伝える「両面提示の法則」をうまく活用した例だ。

人は心のどこかで「うまい話には落とし穴がある」と無意識に警戒している。だから、メリットを並べ立てられるだけでなく、デメリットも同時に伝えられたほうが安心するのだ。

もちろん、その安心が好感度につながるのはいうまでもない。

両面提示の法則とは

メリットだけでなくデメリットも
同時に伝えること

〈メリット〉　　　　　　〈デメリット〉

この果物は安いですよ！　⇔　でも、味はイマイチです

この道路が近道ですよ！　⇔　でも、道幅は狭いです

今年は生育状況がよくない
ので、甘みが足りません

商品にデメリットを
書き添える売り方が
増えている！

この保険は掛け金は安いの
ですが、そのぶん補償が物
足りないかもしれませんよ

いつでも本当のことを
言ってくれそう。
正直で信頼できる人だわ

外から見えないオーバーリアクションの心理効果

誰かが面白い話をすると、お笑い芸人のごとく手を叩いて笑う人がいる。喜怒哀楽の薄い人ならそのオーバーリアクションに思わず引いてしまうところだが、じつはこの行為はコミュニケーション術という点ではそれなりに効果がある。

心理学の世界では、人間の行動と感情の結びつきについてさまざまな説があるが、面白い話のときに、手を叩いて盛り上げるという行為は、「情動二要因説」に当てはめて考えられる。

ここでいう「二要因」とは、「生理的な反応」とそれに対する「認知」の相互作用のことだ。人は大げさではなくとも、面白かったり楽しかったりすると自然と手を叩くものだ。そしてその行動を認知することで、さらに楽しい気分になれる。

これを踏まえれば、つまらない人の話でも大げさに手を叩いて笑って盛り上げれば、その場の雰囲気をよくすることは可能だ。

もっとも、敏感な相手にはその狙いは一発で見抜かれてしまう恐れもある。くれぐれもお笑い芸人のリアクションは参考にせず、自然な流れで試してみることをおすすめする。

楽しい話を聞いて
思わず手を叩くと…

◆場が盛り上がるのは…

・「生理的な反応」＝手を叩く
・「認知」＝楽しくなる！

この２つの要因で感情が増幅するから

笑いが増幅して
さらに場が盛り
上がる！

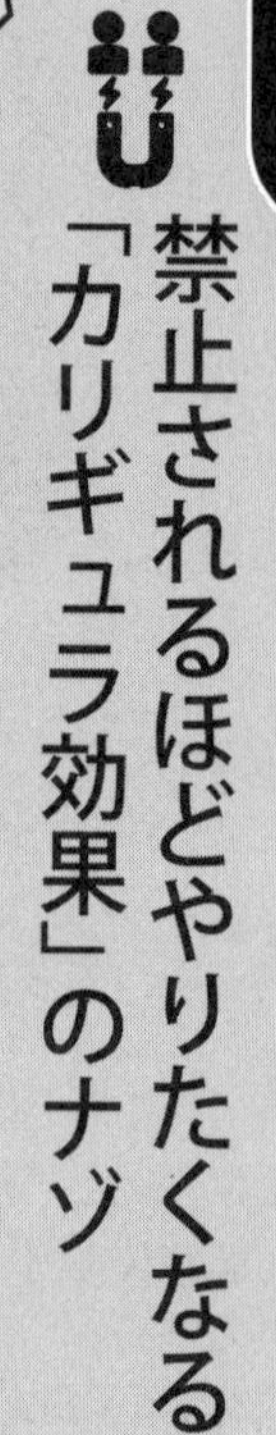

禁止されるほどやりたくなる「カリギュラ効果」のナゾ

「危ないからそっちへ行ってはいけないよ」と言われれば、なんとなく行ってみたくなるし、「絶対見ないでください」と言われれば、やっぱり見てみたくなるのが人情というものだ。

このように、何かを禁止されたり制限されたりすると、逆にそれをやりたくなってしまう心理は、しばしば「カリギュラ効果」という言葉で表現される。

これは、１９８０年にアメリカで公開された映画『カリギュラ』がきっかけで生まれた造語だ。映画の内容があまりにも過激だったため一部地域で公開禁止となり、それがかえって話題になって耳目を集めたというエピソードにちなんでいる。

制限されることで欲求が高まるという「心理的リアクタンス」が正式の用語だが、個数や期間が制限される商品をやたら欲しがったりするのもこの心理が関係しているし、マーケティングの世界ではそれを逆手にとった宣伝はもはや常とう手段だ。

この心理を応用すれば、「ここだけの話なんだけど」などの前振りだけで相手の関心をグッと引き寄せることもできる。

カリギュラ効果

制約があると、余計に欲しくなる
心の動き。マーケティングなどで
使われる手法

「共通点」を見つけて、相手との距離を詰める方法

「類は友を呼ぶ」という言葉があるが、たしかに、自分の人間関係を思い返してみると、何らかの共通点でつながっている人が集まっていたりはしないだろうか。

趣味、出身地、性格など、その内容は問わずとも、きっとどこかで相通ずるものがあるはずだ。

これは「類似性の原理」といって、人は自分と共通点のある人に親近感を抱くという心理によるものだ。

これを利用すれば、なんとなく噛み合わない相手とも簡単に距離を詰めることができる。

無理矢理にでも共通点を探してアピールするだけでいいのだ。

一番いいのは趣味やペットの話など、相手の周辺情報を探ってみることだが、ビジネス上のつき合いだとプライベートを根掘り葉掘り聞くのはむずかしい。

それなら、ランチで相手が頼んだものについて「それ、好物なんですか？　自分も好きなんですよ！」と言って話を広げてみるだけでもいい。こんな些細なことでも、「えっ、あなたもですか？」と親近感を抱いてくれて、お互いの距離が縮まるはずだ。

類似性の原理が働いて
お互いの距離がぐっと近くなる

「オムライスにしようかな」
「オムライスがお好きなんですか？私も大好物なんです！」
「このゲームアプリが…」
「そのゲーム、僕もやっていますよ！」

3

心のサインを見抜けば
〝次の手〟が決まります。

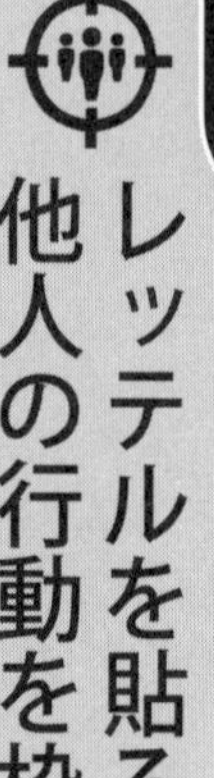

レッテルを貼ることで、他人の行動を枠にはめる裏ワザ

ひとつの〝ラベル〟を貼られると、人はそのラベルの通りに行動しようとする。これを「ラベリング効果」という。「あなたって〇〇だよね」と言うと、相手は無意識のうちにその通りに行動し始めるのだ。

だから、相手にラベルを貼るときには「こんな人であってほしい」という希望と期待に沿ったものにするといい。

たとえば恋人に「あなたは私だけを大切にしてくれる」と言えば、相手はほかの人はさておき、自分のことだけをことさら大切にするようになるだろう。つまり、ラベリング効果をうまく利用すれば、相手の行動を自分の期待通りに変えることができるのだ。

恋愛関係だけではない。たとえば子育てや社員教育、友達関係などにおいても、ラベリング効果を反映させることができる。

もちろん、悪い方向に利用することもできる。「なかなか成績が上がらないね。この科目が本当に苦手なんだね」と言い続ければ、相手はその科目への苦手意識を強め、勉強を怠るようになり、たとえ素質があっても成績が落ちていく。ほとんど「暗示」に近い効果があるともいえる。

ラベリング効果 ＝人からラベル（レッテル）を貼られると、その通りに行動しようとする

キミはセンスがいい

親切な人だな

とても頭がいい

何をやってもダメだ

ダメという烙印を押されるとますますダメになる！

他者からのラベリングによってその人の行動傾向は変わる。乱暴な子というレッテルを貼られた子どもはその通りに行動するようになり、暴力をふるうなどの逸脱行為を修正するのがむずかしくなる。

できるから期待される？ 期待されるからできる？

「オマエはもっとやれるよ」「期待しているから」。親からいつもそう言われている子どもは成績が上がりやすい。

これは「ピグマリオン効果」のなせるワザだ。アメリカの教育心理学者ロバート・ローゼンタールが提唱したので「ローゼンタール効果」とも呼ばれる。

もともとは教育心理学から出た言葉だが、たとえば企業での人材育成にも生かされている。

上司が部下に対して期待していることを告げると、部下のモチベーションは上がり、通常よりもさらに努力する。もちろん、結果も出せるようになる。

ここで重要なポイントは、期待していることを相手にどう伝えるかだ。言葉だけでなく、目線や表情、身振りやしぐさで伝えることもできる。いずれにしても、きっと伸びるに違いないと本気で信じることが大切だ。

人間は相手の真意や、本当はどう思っているかを簡単に見抜けるし、表面的な期待は相手にすぐ見破られる。この効果を最大限に発揮させるうえで重要なのは、本気で期待をすることだ。

自分の中にある抑圧された欲求・衝動を飼い慣らす方法

筋トレに打ち込む人が増えている。もちろん、健康で美しい肉体を手に入れることが目的だが、それだけでなく、トレーニングの成果が見た目に表れることにより、自分に自信がついて自尊心もおおいに刺激されるという側面もある。

さらに、一部の人にとっては意外なメリットがある。

社会生活の中では、絶対に実現することのない〝反社会的な衝動〟を、激しいトレーニングによって発散させているのだ。

たとえば、他人に対する攻撃性や社会への不満、怒り、過剰な性欲などを抱え込んで生きている人もいる。

反社会的とまでいかなくても、これらの激しい衝動は、多くの場合、抑制しなければならないものである。そこで、その代償行為として、体を動かしているわけだ。これを精神分析の心理学では「昇華」という。

それはなにも肉体的なトレーニングに限ったことではない。たとえば、芸術活動や勉強などに打ち込むことにより、新たな自信を手に入れ、自尊心を持つことができれば同じような効果が期待できる。

無意識の内にある抑圧された欲求や衝動
破壊欲求
怒り
社会への不満
強い性欲
行動に移せば
犯罪
苦しい…
衝動を抑えるためにほかのことに打ち込む（健全な昇華）
身体的挑戦
芸術作品の創造
学問的探求
社会的価値の高い活動に置き換えることで乗り越える

「いつもの場所」を変えるだけで、気持ちは断然ラクになる

初めての道を歩く、初めての公園に行ってみる——。

たったそれだけのことで五感が新しい刺激を受け、自律神経の中枢に作用して、リラックス効果が得られる。そして新たな活力が生まれたり、アイデアが芽生えたりすることがある。それが「転地効果」だ。

仕事帰りにいつも立ち寄る居酒屋ではなく、たまには河岸を変えてみようと違う店に行くことがあるが、それも転地効果の一種だ。目に映るものや運ばれてくる料理が変わるだけで、いつもは出ないような話題で盛り上がり、新たな発見があるかもしれない。

もっとおおがかりな転地効果もある。たとえば旅行だ。

あえて初めて訪れる場所に身を置き、それまで知らなかった景色を見たり、音を聞いたり、そしてもちろん地元の料理を味わってみる。すると、新しい環境に慣れるために心身の機能が働き、気分をリセットすることができるのだ。

何をやっても新鮮さがなくて新しいものが思いつかなくなったときには、この転地効果を実践してみるといいだろう。

いつもと違う場所に行くだけで
心身の機能が活発に働く
音
言葉
風景
それまでの憂鬱な気分がリセットされれば、新しいアイデアも生まれる！
におい
味
温度
湿度
いつもと違う
道を通る
入ったことのない
店に入る
旅行する
アイデアが
湧かない
人生に疲れた

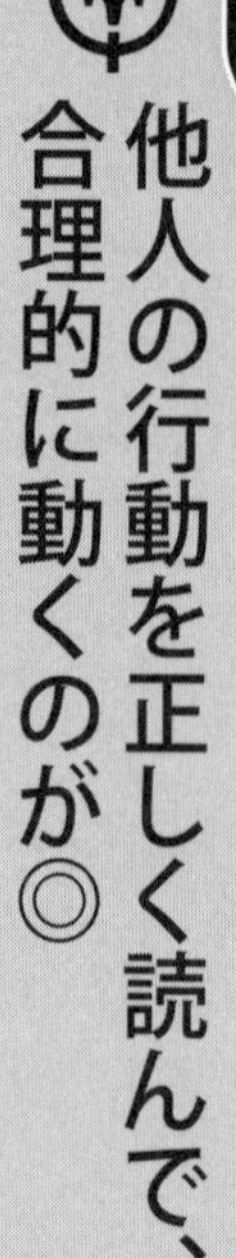

他人の行動を正しく読んで、合理的に動くのが◎

人間は常に自分以外の人物の行動を観察し、相手の次の行動を予測したり、それをもとにして自分の行動を決定したりしながら生活している。これを考える経済学の一分野が「ゲーム理論」だ。利害がぶつかる関係にある2人以上のプレイヤーの意思決定や行動を分析する理論である。

遊びとしてのゲームはもちろん、経済活動や国家間のいろいろな交渉などにも、このゲーム理論を当てはめて考えることができる。

たとえば自分と相手との要求が一致せず、利害が衝突するとき、どのように交渉を進めていけば自分のほうが有利になるかといった問題では、このゲーム理論が役に立つのだ。

具体的にどういうことかを説明するのはなかなかむずかしいので、身近なゲームである「じゃんけん」を例にして考えてみたい。

●勝つための「勝利の法則」とは

じゃんけんは偶然のゲームだと思っている人も多いが、そうではない。データをもとにして考えると、じゃんけんに勝つ確率をかなり上げることができる。人は、じゃんけんで何を出しやすいかを考えればいいのだ。

ゲーム理論
＝
利害がぶつかる関係にある２人以上の人が、意思決定する際にいかなる行動をとるべきかを考察する理論
じゃんけんゲーム
勝者に
100万円!!
〈じゃんけん統計〉
31.7%
35%
33.3%
じゃんけんで、「最初に何を出す確率が高いか」のデータ
相手がパーならチョキ…
パーを出せば勝てる確率が高いが…
ゼッタイ勝ちたい

統計的にはグーが最も出やすく、チョキが最も出にくいことが知られている。桜美林大学の芳沢光雄教授の調査によると、グーを出す人が35%、パーが33・3%、チョキが31・7%という割合になるという。

これは日本じゃんけん協会でも「勝利の法則」とされているし、世界じゃんけん協会のデータでもこの順位は同じである。これをもとにすれば、最初にパーを出せば、勝つ確率は最も高いということになる。

また、「あいこ」のときは、相手は次に異なる手を出しやすいので、「今、相手が出した手に負ける手を出せ」という必勝法もある。たとえば、パーであいこになったら、相手は次にグーかチョキを出しやすい。だから自分がグーを出せば勝つ確率は高くなる。

さらに、2回連続であいこになったら、相手が違う手を出す確率はかなり高くなる。だから、もしもパーで2回あいこになったら、3回目はグーを出せば勝ちやすい。

●ゲームに勝つ3原則

多くのゲームは、偶然が左右するもので、勝つか負けるかは運しだいだと信じている人も多いが、しかしそうではない。人間の特性とゲーム理論で考えれば、そのゲームを思い通りに支配することも可能である。

そのための原則が3つある。まず、ゲームのルールを正しく把握することだ。きちんとルールを理解していなければ勝ち目はない。

次に、ルールに基づいて、起こりうる未来を予測すること。ルールに基づいて、誰がどんな行動をとるかを正しく予測することで、自分の行動も決まる。

そして、最適な解決策を見つけることだ。そのために自分の得たいもの、避けるべきものを徹底的に考えるのだ。

これらを正しく分析して考えれば、自分なりの「必勝法」にたどり着けるはずである。

有名なゲーム理論：囚人のジレンマ

2人の容疑者（共犯）をそれぞれ隔離して
3つの条件を出す。

①２人とも黙秘したら２人とも懲役３年
②１人が自白、もう１人が黙秘した場合、自白したほうは釈放、黙秘したほうは懲役10年
③２人とも自白したら２人とも懲役５年

流されやすい人ほど、「ノー」を言うなら最初に限る

タバコが体に害があることは誰でも知っている。ところがたくさん吸う人ほど、「そんなに悪いもんじゃないよ」と言う。

体に悪いと知りながらタバコを吸うのは不愉快だし、不安だ。そこで、「いいところもある」と思い込んで、自分を納得させながら吸っているのである。

このときの不愉快な矛盾した感情を「認知的不協和」という。

《人は矛盾があると不愉快になるはずなのに…》

そして、それを取り除くために自分に言い訳を与えて、少しでも不愉快でない状態にしようと試みるのだ。

たとえば、ブラック企業で延々と働き続けるのもこれと同じ原理である。この企業はおかしいと思いながら、「こんな会社でもいいところもある」「よく考えれば、やり甲斐もある」と思い込み、自分で自分を納得させて、長く勤めるわけである。

もしも辞めたいと思うなら、自分でその認知的不協和から抜け出さなければならない。そのためには、認知的不協和に慣れてしまい、受け入れる前に「ノー」と断定することである。最初に断ち切ることが肝心なのだ。

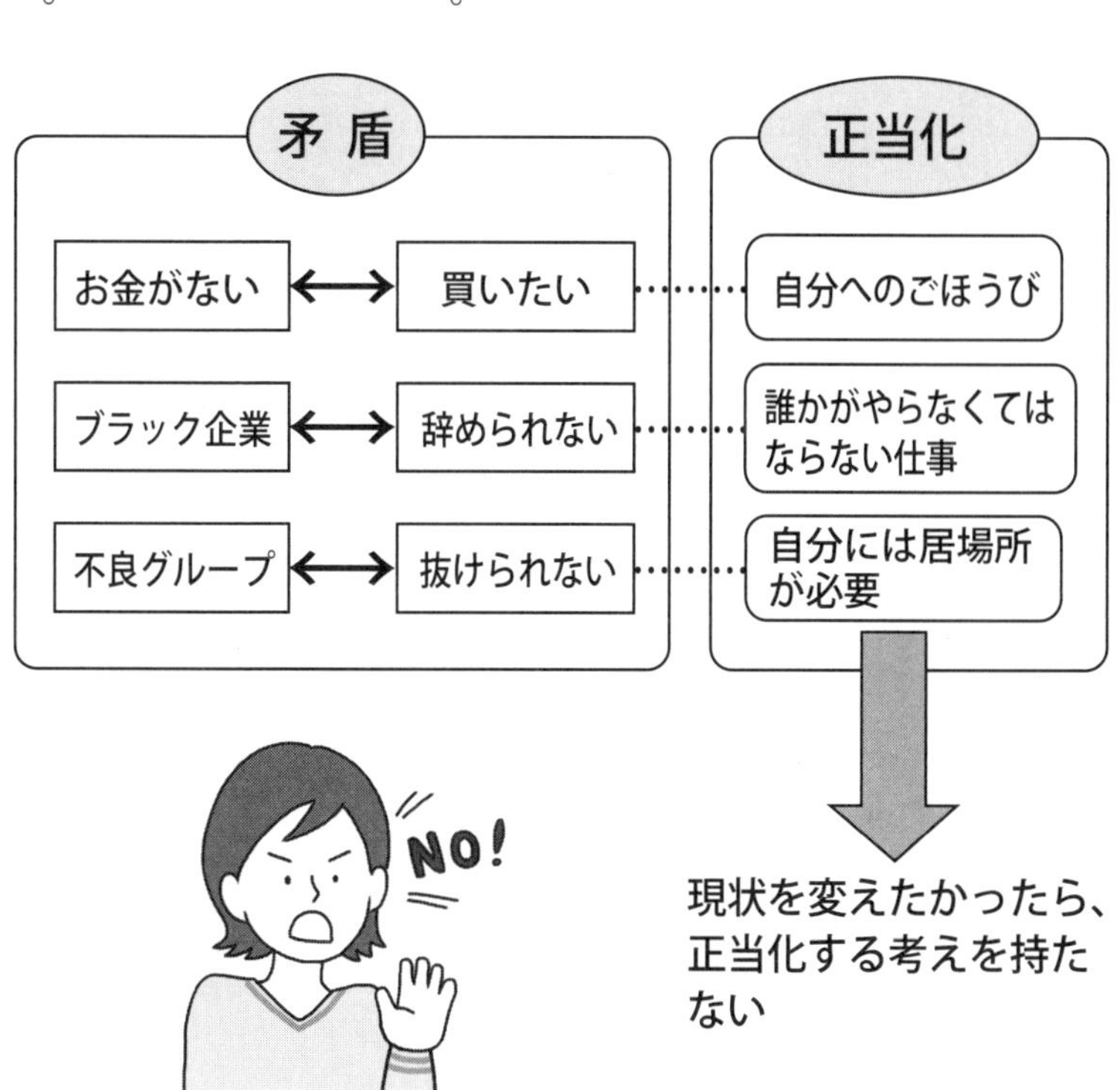

成功者のだれもが大事にしている「自己効力感」の秘密

自己効力感とは、ある状況においてやる気になれば自分は何でもできる、という思いのことだ。自分を肯定する力といってもいい。

この「自己効力感」が強い子どもは学力が伸びるというデータがある。失敗を恐れずに何にでも挑戦する気持ちが強いので、結果的に学力が身につくのである。同じことは仕事やスポーツにおいても期待できる。

どんなことであれ、前向きな気持ちで取り組めば、たとえ失敗してもそこから何か得るものはある。それをもとにしてまた別のことに挑戦していく。その積み重ねが本当の実力になって身につき、本来の大きな目標の達成につながるのだ。

だから、何かを達成しようとしている人には、まわりが何かの課題を与えるのではなく、自分で好きなこと、やりたいことに取り組めるようにして自信をつけさせてやることが肝心である。

小さな成功体験の積み重ねが自己効力感につながり、大きな課題に対しても臆することなく積極的に取り組むことができるようになるのである。

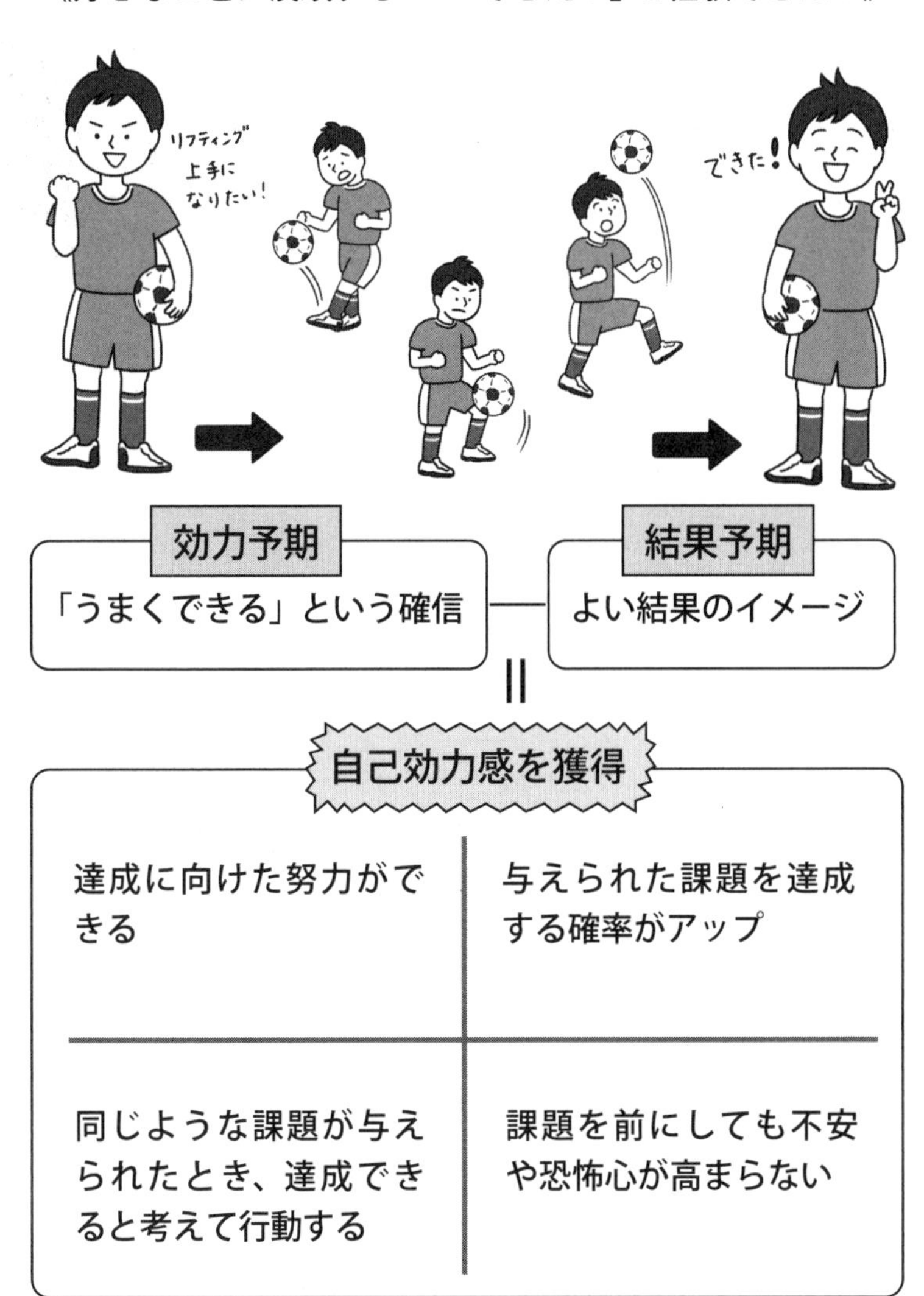
《好きなことに没頭する →「できた！」を経験できた！》
リフティング上手になりたい！
できた！
効力予期
「うまくできる」という確信
結果予期
よい結果のイメージ
＝
自己効力感を獲得
達成に向けた努力ができる
与えられた課題を達成する確率がアップ
同じような課題が与えられたとき、達成できると考えて行動する
課題を前にしても不安や恐怖心が高まらない

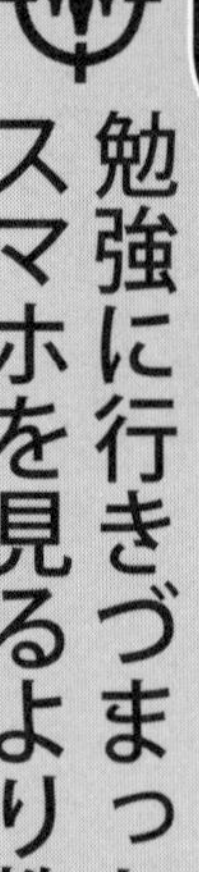

勉強に行きづまったら、スマホを見るより教科を変える

自分のことを飽きっぽいと思っている人は、集中力が途切れたときに休憩をとることが多い。少し休めば、再び集中力が増すと考えるからだ。たしかに、本当に疲れているのであれば、休憩して疲れをとることは有効だ。

しかし「飽きる」と「疲れる」は違う。飽きるとは、脳が新しいものを取り入れる余地がなくなった状態をいう。心理学ではこれを「心的飽和」という。

決まった時間内に脳が取り入れることのできる情報には限界がある。脳が限界に達して飽和状態になったときに、人は「飽きた」と感じるのだ。三日坊主もこれにあたる。

飽きたときに有効なのは、それまで続けていた作業とはまったく異なる作業をして、自分の関心を別の方向に向けることである。そうすることで飽和状態が解消されて、新鮮な気持ちで新しいことを取り入れられるようになるのだ。

勉強に飽きたときにスマホを見て休憩するのではなく、短時間でもいいから別の科目をやってみると、心的飽和が解消されて勉強を続けることができる。

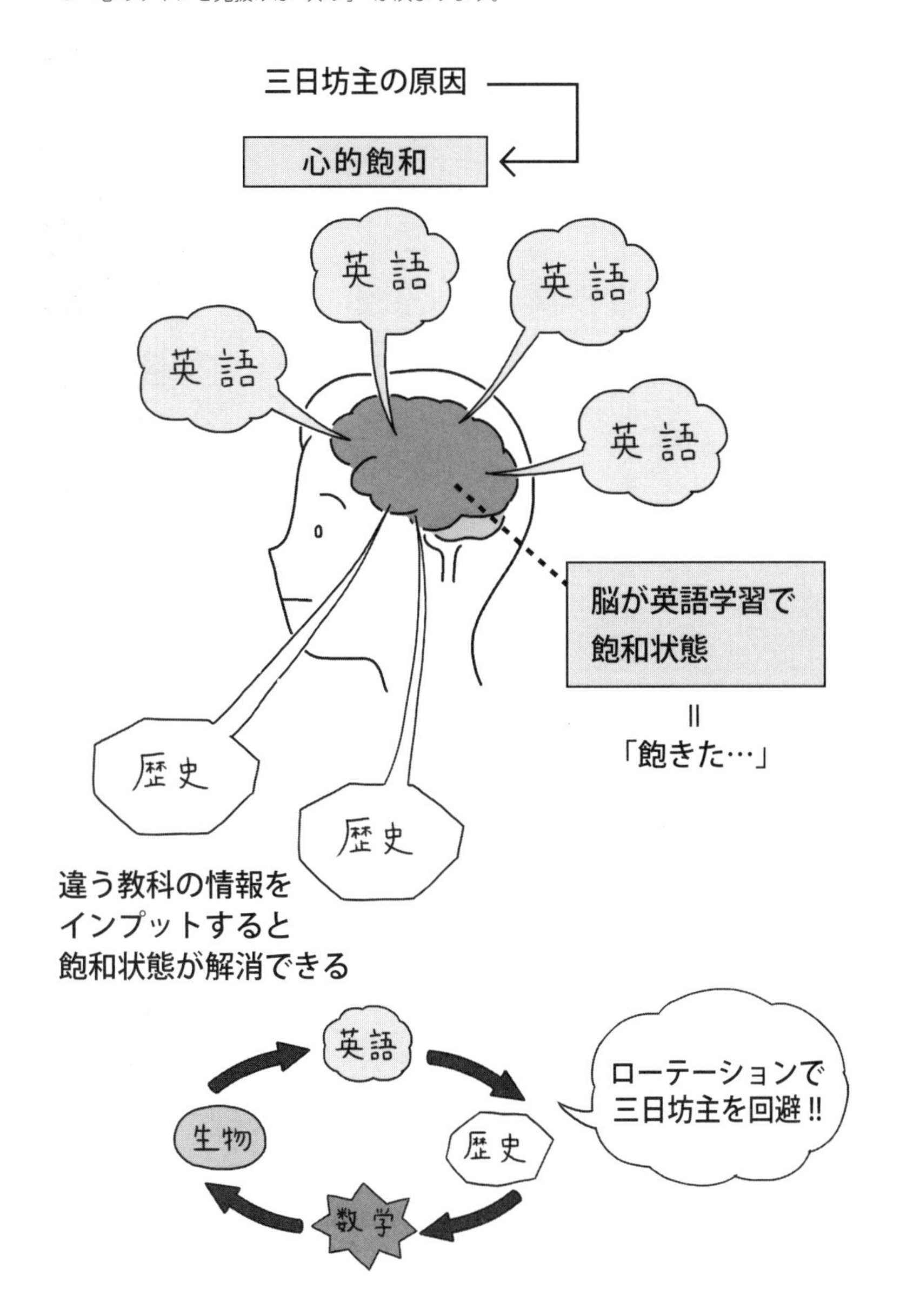
三日坊主の原因
心的飽和
英語
英語
英語
英語
脳が英語学習で
飽和状態
＝
「飽きた…」
歴史
歴史
違う教科の情報を
インプットすると
飽和状態が解消できる
英語
生物
歴史
数学
ローテーションで
三日坊主を回避!!

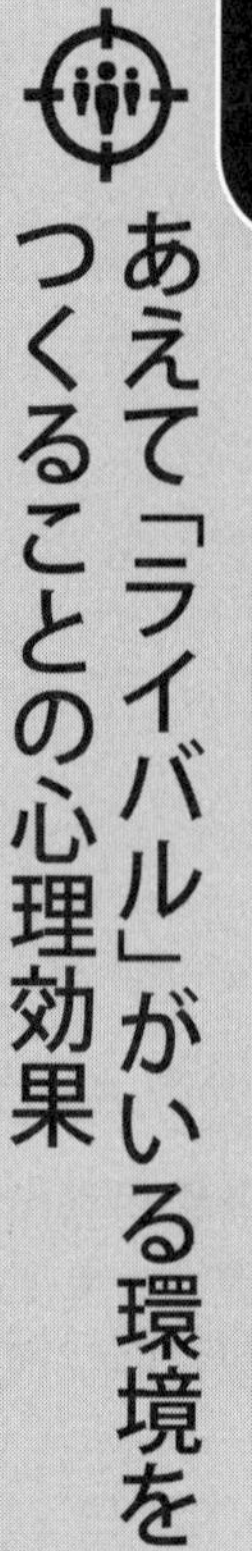

あえて「ライバル」がいる環境をつくることの心理効果

あいつにだけは負けたくない、という気持ちがやる気につながって成績アップに結びつくことがある。そんな経験を持つ人も多いだろう。

勉強でも仕事でもスポーツでも、ひとりで黙々と取り組むのではなく、よきライバルと競い合うことによって、自分の能力以上の力を発揮することがある。心理学ではこれを「社会的促進」という。

オリンピックのメダリストが「ライバルに恵まれたのでここまでやってこられました」と話すことがあるが、まさに社会的促進が選手の実力を伸ばしてくれたのである。

ライバルとは、言い換えれば「仮想敵」である。この仮想敵を想定する場合のコツは、自分と力が同じくらいの相手ではなく、自分よりも少しだけ高い能力を持った人を選ぶことだ。

相手が自分よりも少し先を行っているのをしっかり認識して、いつか追い越すことを目標にして努力を重ねていく。

それによって、向上心や、やる気が生まれ、それがいつの間にか実力となって自分の身につくのである。

《ライバル（仮想敵）を見つける》

少し高みをめざして、背伸びし続けることで成長できる

4

人のタイプが正確にわかるポイントがあります。

1人なら
待つのに…。
渡っちゃおう！

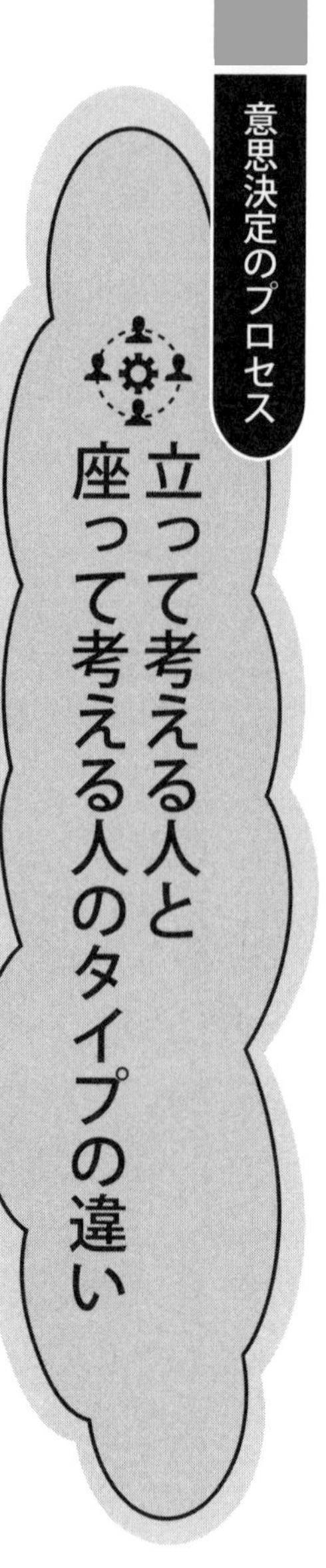

立って考える人と座って考える人のタイプの違い

会議を効率的かつ有意義なものに変えるとして導入する企業が増えているのが、スタンディングテーブルだ。

つまり、会議を立ったまま行うと、自然と無意味なやり取りがなくなり、意見が活発に交わされる。その結果、短時間で意義のある話し合いを行うことができるのだ。

ただし、人間には向き不向きというものがあり、立ったままの会議で能力を発揮できる人もいれば、座ってじっくり話し合うスタイルが得意な人もいる。これは、人によって意思決定のプロセスが違っていることが原因なのだ。

どちらのタイプかを見極めるためのサインは、その人の何気ない行動に表れている。

考えごとをするときに、立っている人は決断のスピードが速い「即断即決型」で、座って考え込む人にはきめ細かに思考を巡らせる「熟慮型」が多い。

打ち合わせなどを行うときは、メンバーの顔触れと日ごろの行動を考えて、会議室で座って行うほうがいいか、オフィスの一角でスタンディングテーブルでするかを決めると、より有意義な話し合いができるだろう。

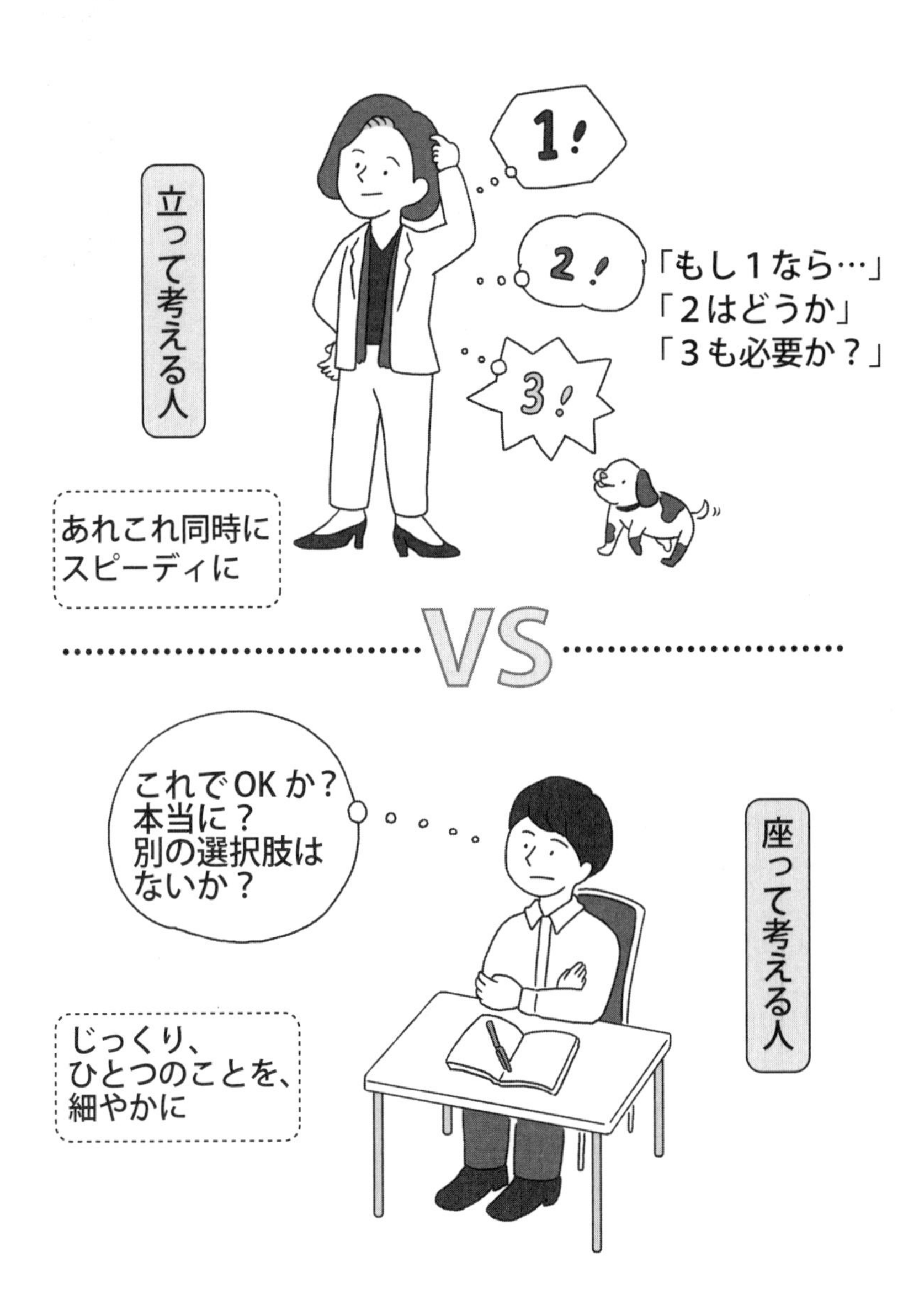
立って考える人
1!
2!
3!
「もし1なら…」
「2はどうか」
「3も必要か？」
あれこれ同時に
スピーディに
VS
これでOKか？
本当に？
別の選択肢は
ないか？
座って考える人
じっくり、
ひとつのことを、
細やかに

不安の大きさと荷物の関係

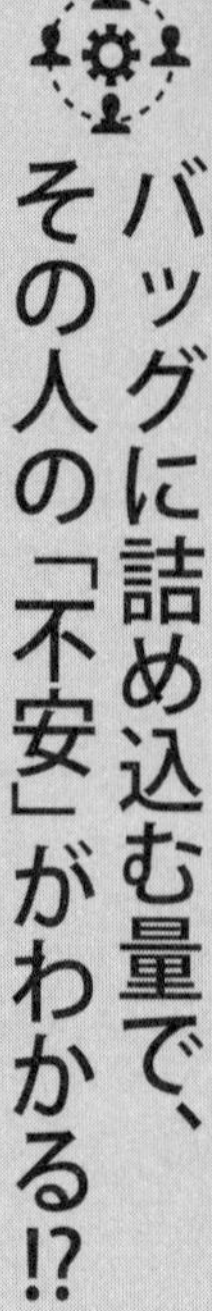

バッグに詰め込む量で、その人の「不安」がわかる!?

持ち物を見ればその人がわかるというのは、心理学的な根拠がある場合も多い。たとえば、バッグの中身の量は抱えている不安の量を暗示している。パンパンに膨れ上がったバッグを持っている人は、大きなストレスや不安を感じている可能性があるのだ。

たとえば、暑い日でも「もし冷房で寒かったら」と薄い上着を入れてしまうことがあるだろう。

先回りして過剰に心配するのは、過去の経験が大いに影響する。若い頃は小さなポシェットひとつで出かけられたのに、今ではショルダーバッグにサブバッグまで持たないと安心できないという人もいるだろう。さまざまな人生経験をしたことで「もし…」と不安になる場面が多くなった結果なのだ。

また、ストレスが重なり、精神的な余裕がなくなると、不安感をうまく解消することもできなくなる。

外出する際の荷物を用意しているときに、念のため持っていこうとしている物の多さに気づいたら、無意識のうちにストレスが溜まっていないか、不安を抱えていないか、セルフチェックをしてみよう。

全部入れて
みたけれど…
もし寒かったら
もし雨が
降ったら
もし待ち時間が
長かったら
もし雨に
濡れたら
もしお腹が
減ったら
「もし」で荷物はパンパンに‼
不安やストレスの表れかも……

ネットで匿名を使う人が、度を超えて攻撃的になるワケ

ネット上での個人攻撃が残酷で執拗なのは、それが匿名で行われるということに大きな原因がある。ツイッターやインスタグラムは誰でも気軽にアカウントをつくって有名人とも簡単につながることができるのがメリットだ。

しかし、複数のアカウントを同一人物が持つことができるため、匿名で誰かを攻撃するためだけの「捨てアカ」が大量に生まれてしまうというデメリットがあるのだ。

匿名というのは、その発言や行動に対する責任感を著しく低下させる。これを「没個性化現象」といい、社会心理学者のジンバルドーが行った実験では、被験者が匿名の状態で他者に与える電気ショックは、名札をつけて行う場合よりその時間は2倍程度増すことが証明されている。

自分の顔を出し、名前を堂々と出していればおのずとかかるブレーキが、没個性化現象によって働かなくなり、怒りなどの負の感情は相手の怒りも増幅させる負の連鎖を呼ぶ。

インターネットの匿名性は、いったん暴走すると容易に過激化するという、一番やっかいな問題なのである。

こんなことを言ったら傷つくかな
言い方がきついかな
できるだけソフトに伝えよう
どんな意味があるのかな
これは本心かな
自然とブレーキがかかる
最低の人間!! 引退したほうがいい！
クズ of クズ！顔も見たくないから消えろ
よく人前に出られるよね。事務所に電凸しようよ
アカウント名で投稿できるＳＮＳは匿名性が高い。
その結果、没個性化現象は顕著になる。

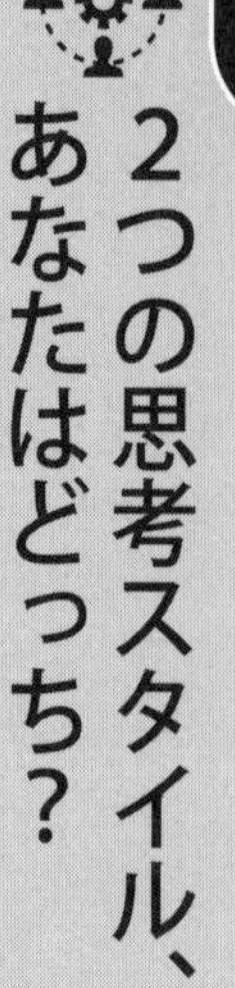

2つの思考スタイル、あなたはどっち？

誰にでも一度や二度、忘れ物をした経験はあるだろう。しかし、出かけるたびに何かしらを忘れてしまうという場合、思考方法そのものが忘れ物をしやすいタイプだといえるかもしれない。

思考方法には「集中思考」と「拡散思考」という2つのタイプがある。

集中思考とは、決められたひとつの答えに向かって早くたどり着こうとするやり方で、後者の拡散思考は決まっていない答えをできるだけたくさん導き出そうとするやり方だ。

ひとりの人間が意図的に2つを使い分けられれば便利だが、傾向としてはどちらかに偏っているものだ。

日常生活の中で明らかに忘れ物が目立つ人は、拡散思考の持ち主であることが多い。

たとえば「ハンカチを持っていく」というひとつのことに集中できず、さまざまなことに気を散らしてしまう。その結果として、忘れてしまうのだ。

反面、常にあれこれと考えているので、革新的なアイデアを出すことができるのが強みだ。クリエイティブな仕事の場合、拡散思考が武器になるのは明らかだろう。

・目の前のことをじっくり考える
・集中して深く掘り下げていく
・勉強や仕事、読書や映画鑑賞など、没頭しているときの思考方法

・何も考えていないようなリラックス状態
・関連がないようなことが次々に浮かぶ
・思いつきを形にしていくクリエイティブな思考方法

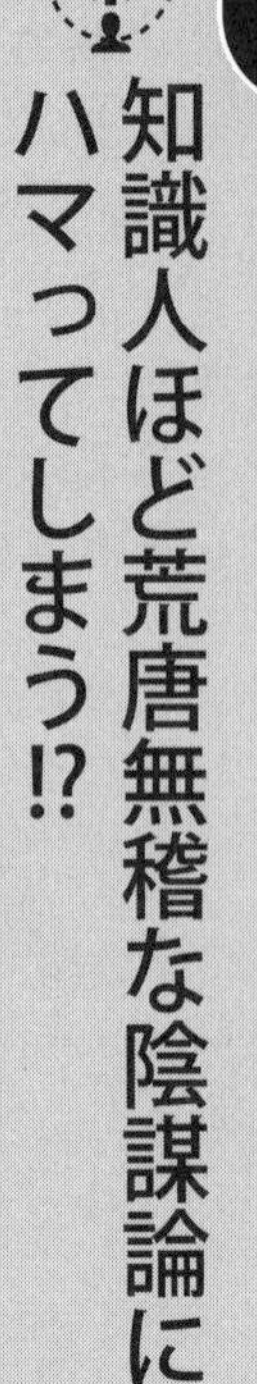

知識人ほど荒唐無稽な陰謀論にハマってしまう⁉

ある情報に触れたとき、人によって肯定もしくは否定と受け取り方が異なるのは、認知のゆがみによって起きる現象だ。そのゆがみを心理学の用語でバイアスと呼ぶ。

バイアスにはさまざまな種類があるが、インターネットメディアやＳＮＳを通じて膨大な量の情報が発信されている現状で、覚えておきたいのが「敵対的メディア認知」である。

あるニュースが、自分とは反対の立場に偏っていると感じるのが敵対的メディア認知であり、そのニュースに関する知識が豊富な人ほどそのバイアスを持ちやすい。

しかも、自分の意見が少数派であると感じているほど、その傾向が強くなる。

荒唐無稽な説であるほど少数派であるという認識が強くなり、中立的な情報に触れたとしても「偏向している！」という認識になってしまうのだ。

人間は見たいものしか見ないし、信じたいものしか信じないものだが、ときにその認知のゆがみが社会の分断を招き、争いを生んでしまうこともある。情報社会で起きる対立に深く関わっているのが、自分の中にあるバイアスであることを忘れないようにしたい。

テレビ
新聞
スマホ
偏向だ !!
自分の"知識のフィルター"を通して見ている
ウソだっ !!
だまされない！
中立な立場のニュースも偏っているように見える
↓
バイアスというフィルターが自分の中にあるから
あれは偏向報道だよ！
中立のニュースに見えるけど

集団になると過激化する「リスキー・シフト」に気をつけろ

集団で行われた少年犯罪などで「つい気が大きくなって」万引きや暴行などの事件を起こしてしまったというニュースがあるが、これは「リスキー・シフト」と呼ばれる認知バイアスが関わっている。

おとなしくて気が弱い人でも、集団になったとたんに言動が過激化し、暴力的になったりする。リスキー・シフトは、「赤信号、みんなで渡れば怖くない」という状態なのだ。

その視点で見れば、学校で起きる集団暴行や、有名人に対するSNSなどでの過剰な攻撃は、リスキー・シフトが原因で引き起こされていると考えることができる。

とくにネット上では匿名性も加わって、リスキー・シフトが加速しやすい。

また、集団の中にもともと極端で過激な意見を持つ人がいると、リスキー・シフトが起きやすいことも実験で実証されている。

リスキー・シフトに陥らないためには、集団の中では過激な意見に偏りやすいということを自覚しておく必要がある。無意識に持ってしまうバイアスを意識するのは至難の業だが、一人一人のモラルがこれまでになく試される時代になっているのだ。

1人なら
待つのに…。

渡っちゃおう！

べつに行ってもよくない？

行かないとかありえないでしょ!!

〇〇も ×× も行くって！楽しみ！

行かないほうがいいと思っていたけど、みんな行くんだ。我慢しているほうがバカみたい
みんなやっているからやってしまえ!!

過激化

内集団バイアス

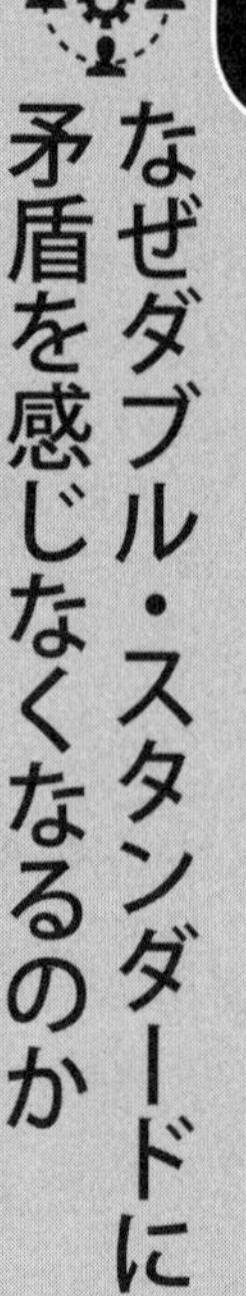

なぜダブル・スタンダードに矛盾を感じなくなるのか

内と外の顔がまったく違うという人は珍しくない。それがプライベートな場面ならあまり問題にはならないが、自分の所属している集団とそれ以外で言動があからさまに違うという場合は、トラブルのもとだ。

所属集団に対する思いの強さは「帰属意識」という心理学用語で説明できる。これは出身地や母校、会社やチームなど、自分が属している集団に対して感じる「その一員である」という感覚のことだ。

帰属意識が高いほど、その集団に対する愛着は強くなる。その結果、たとえば同じ失敗をしても集団内のメンバーには甘く、それ以外の人には厳しいジャッジを下してしまうのが、「内集団バイアス」である。

一方では是としたことを、もう片方では否とするというのは、まさにダブル・スタンダードなのだが、認知に内集団バイアスがかかった状態ではそこに矛盾を感じなくなる。

いわば、身内びいきという状態であり、集団への愛情が強いほど起きる自然な行動ともいえるが、その愛情がトラブルを招いてしまったら本末転倒になるのだということを自覚しておきたい。

〈この人は左の集団に属している〉

100円でも高いと思うもの、10万円でも安いと思うもの

「推し」という言葉はすっかり市民権を得たようだ。それと同時に、コンサートチケットや握手会、グッズ購入などで、「推しに課金する」という人も珍しくない。

そういうタイプが特段お金持ちというわけではなく、ごく普通の勤め人や学生がほとんどだ。ランチ代は節約しても、推しにはその10倍の金額を費やすのだ。

この現象は「心理的財布」という考え方で説明できる。人は心の中にいくつも財布を持っているのだ。

心理的財布は出費対象ごとに財布が分かれているうえ、入っている額も違うと考えればわかりやすい。お金を払うとき、何に対して払っているかで異なる心理的財布から出費することになり、金額に対しての感覚が違ってくるのだ。

好きなもののためにはいくらつぎ込んでも惜しくないし、逆に価値がないと感じているものに対しては1円でも払いたくないという心理は、何が対象であっても起こりうる。

自分の内心を自覚し、相手の真意をはかる手がかりとして覚えておきたい。

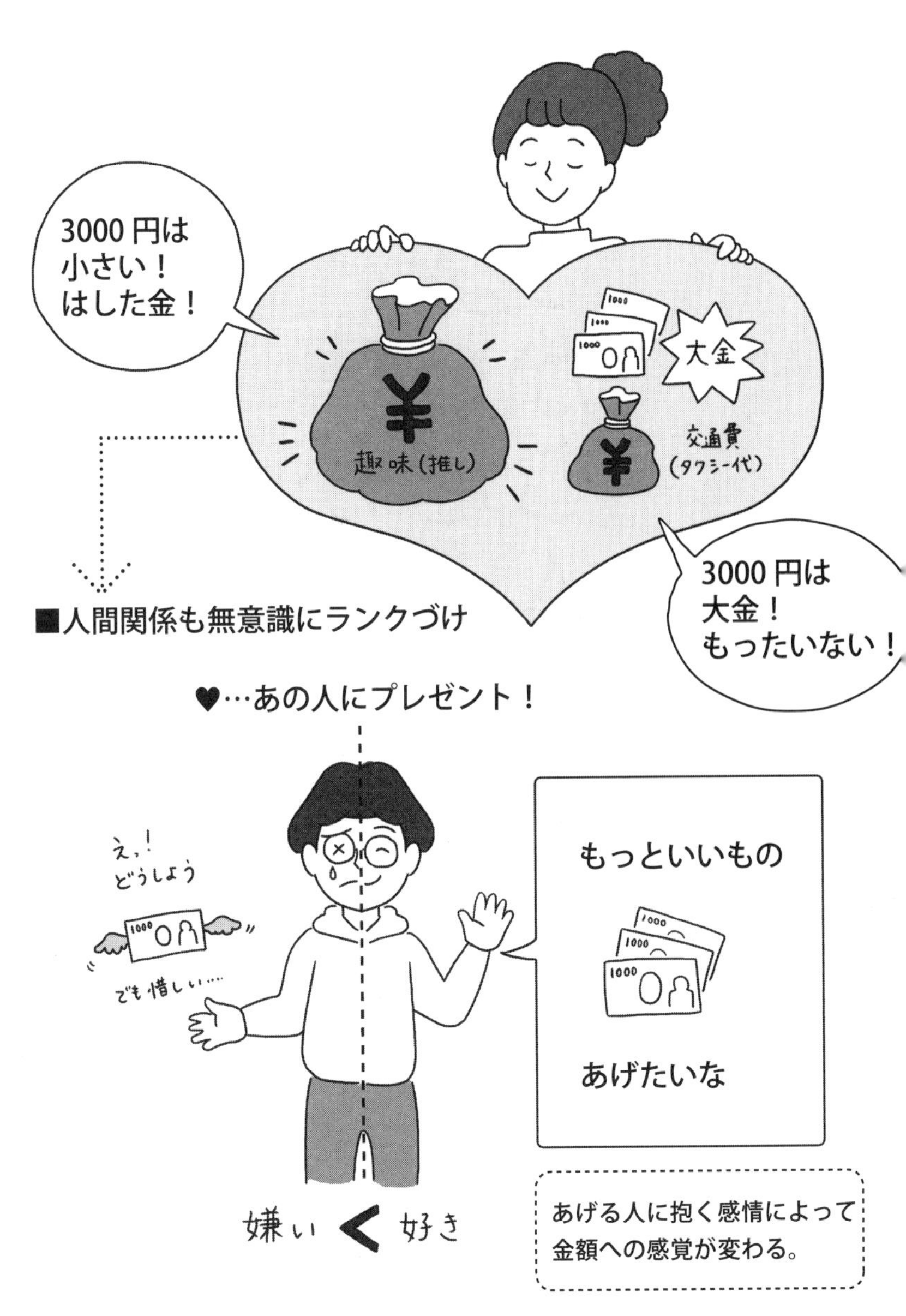
3000円は
小さい！
はした金！
大金
趣味（推し）
交通費
（タクシー代）
3000円は
大金！
もったいない！
■人間関係も無意識にランクづけ
♥…あの人にプレゼント！
えっ！
どうしよう
でも惜しい…
もっといいもの
あげたいな
嫌い ＜ 好き
あげる人に抱く感情によって
金額への感覚が変わる。

5

仕事ができる人は人の心をつかむ人です。

アンダーマイニング効果

報酬が増えると、かえってモチベーションが下がる⁉

ある営業マンが、営業活動の効率を上げるために自発的にスケジュールの管理システムをつくって仕事に生かしたところ、営業成績がかなり上がった。そして上司がそれを評価し、昇給した。

最初はあくまでも自分の仕事の効率アップのために自発的にやったことだが、それが思いがけなく昇給につながった。そこで彼は「なにもわざわざ自発的にやることはない。これからは上司に言われてからやろう」と考えるようになった。その結果、彼は自分から新たな工夫を考えることはなくなったという。

このように、自分の中から自発的に動機づけられた行動に対して、外部から新たな動機づけを行うことにより、最初のモチベーションが失われることを「アンダーマイニング効果」という。

最初は「やりがい」が目的だったのに、外から別の動機づけがなされたことで、当初のやりがいが失われてしまうのだ。

とくに金銭的な報酬は人のモチベーションを上げると思われがちだ。しかし実際には、このケースのように、その人の自己肯定感や意欲、前向きな姿勢を失わせることもある。

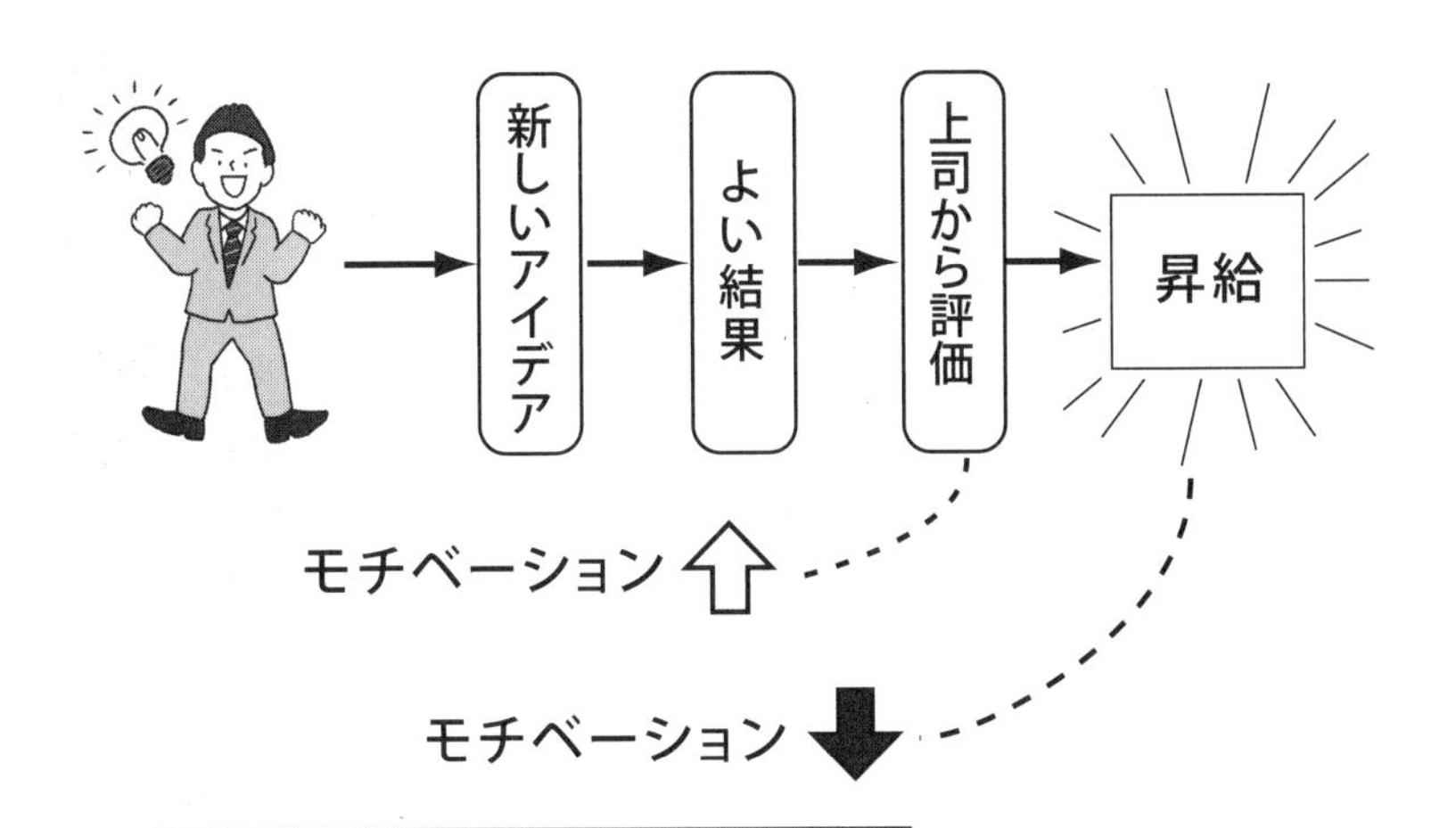

アンダーマイニング効果

自発的に動機づけられた行動に対して、外部から新たな動機づけをされることで、最初のモチベーションが失われること。

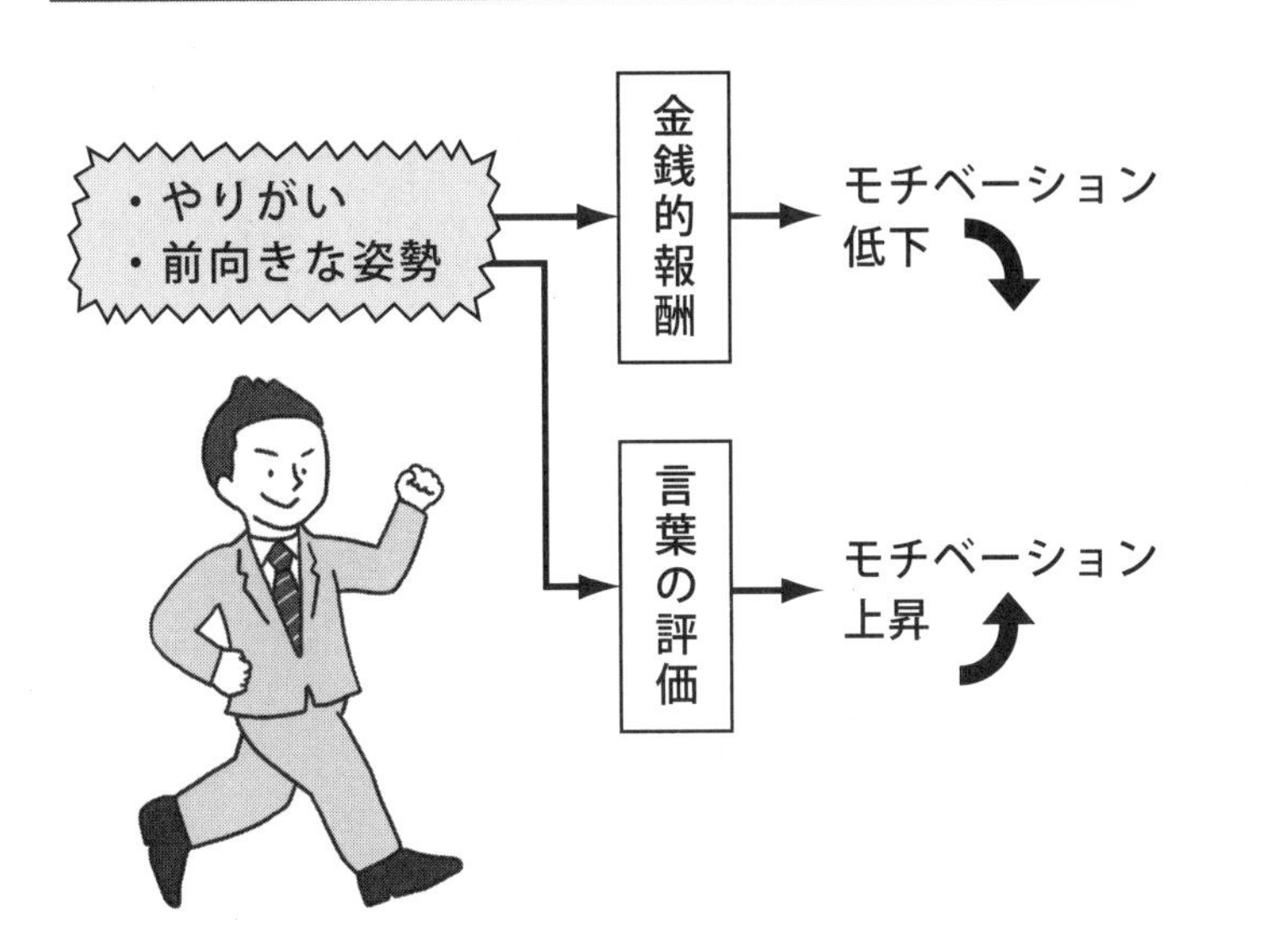

50%の確率で成功する目標設定が、最もやる気になる!?

なにごとも完璧にやろうとするのはけっして悪いことではない。100%の成功を目標にしたいという人も多いだろう。

ところがそんな目標を立てたにもかかわらず、なぜかやる気が出ないことがある。目標の大きさとやる気は必ずしも比例しないのだ。目標が大きければ大きいほどやる気も出ると思いがちだが、実際はそうではない。心理学者のアトキンスがやった興味深い実験を見ると、そのことがわかる。

小学生に輪投げをさせるのだが、まず、絶対に成功すると思う距離と、確実に失敗すると思う距離を聞く。そのあとで、好きな距離のところから輪投げをさせた。

すると小学生たちが選んだのは、その2つの距離の中間地点、つまり半分の確率で成功すると思われる距離だったのだ。

ここから考えられるのは、人間が最もやる気を出す、つまり「達成動機」が大きいのは、目標を半分に設定したときだということだ。

50%の確率で成功するかもしれない状況でこそ、最もやる気が発揮できる。やみくもに高い目標設定をするのではなく、確実に意欲が上がる設定のしかたを考えよう。

達成動機

人間が最もやる気を出すための動機

アトキンスの輪投げの実験

①②③

①最も遠いので、確実に失敗する

②成功するか失敗するかは半分の確率

③最も近いので、必ず成功する

やる気

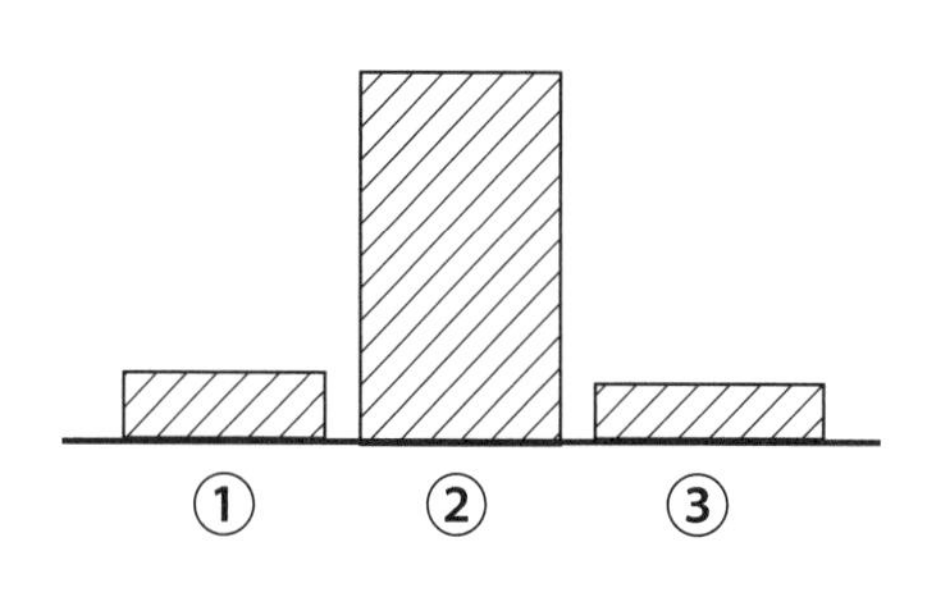

やみくもに高い目標を設定しても、人はやる気を起こさない。逆に、確実に達成できるほどの低い目標でも、人はやる気を起こさない。成功するか失敗するかわからない、ちょうど半々の確率のときに、人は最もやる気を起こす。

アメとムチの一番いいバランスを知っていますか

こんな実験がある。右の道の先にはエサが置かれ、左の道には電流が流れる仕掛けがある。当然、マウスは右の道に行ったほうがいいということを学習する。ところが電気ショックがあまりにも強力だと、マウスはどちらにも進まず、動かなくなるのだ。

アメとムチという言葉がある。適度なムチを与えることでうまくアメに導くことを意味するが、しかし冒頭のマウスの実験は、ムチがあまりにも強すぎると、意欲が失われ行動そのものがストップしてしまうことを示している。これを心理学では「適応」という。

たとえば、上司が愛のムチのつもりで部下を激しく叱りつけたとする。それが部下にとってあまりにもひどいものだと、それをきっかけに部下はやる気を失って、仕事そのものへの意欲を失うこともある。

自分がもしも失敗すれば、また上司の激しい怒りに触れるかもしれない、だったら何もしないでおこう、と考えてしまうのだ。

それを避けるためには、部下の失敗を無視してでも努力の過程を認めてやることだ。つまり「承認」することにより、再び自発性が湧いてくるのを待つのである。

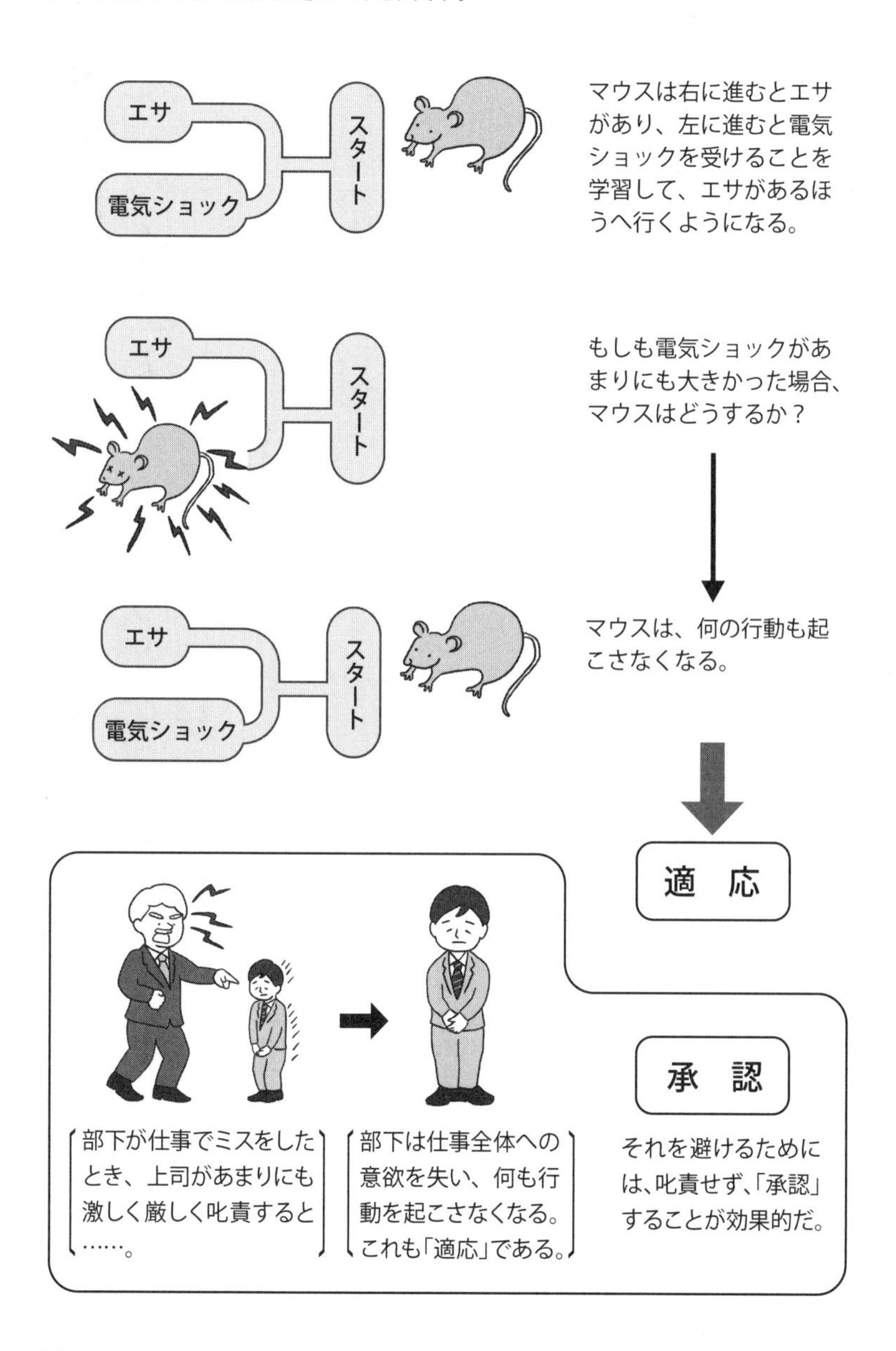
エサ
電気ショック
スタート
マウスは右に進むとエサがあり、左に進むと電気ショックを受けることを学習して、エサがあるほうへ行くようになる。
エサ
スタート
もしも電気ショックがあまりにも大きかった場合、マウスはどうするか？
エサ
電気ショック
スタート
マウスは、何の行動も起こさなくなる。
適　応
承　認
部下が仕事でミスをしたとき、上司があまりにも激しく厳しく叱責すると……。
部下は仕事全体への意欲を失い、何も行動を起こさなくなる。これも「適応」である。
それを避けるためには、叱責せず、「承認」することが効果的だ。

セルフコンパッション

絶対に間に合わない納期を設定すると、仲良くなれる!?

逆境や危機を経験すると、人は大きなストレスを経験する。このとき、自分ひとりだと、それがどれくらい大きなストレスかを客観視することができない。

ところが、一緒に経験する仲間がいると、相手の苦労を見たり、お互いに自分の気持ちを口にすることにより、それがいかに大変な状況であり、過酷なストレスになっているかを客観的にとらえることができる。

そしてそれが、お互いの連帯感を生み、固い絆が生まれやすくなるのだ。

たとえば、絶対に間に合わない納期を設定されて大きなストレスを感じたら、「間に合いそうにないね」「胃がキリキリするよ」「こんな経験初めて」などと声を掛け合う。

自分と同じストレスに苦しむ相手を見て、自分とまったく同じ心境だということを認識し、それによって自己自身の弱さも認めることができる。この自分への共感が「セルフコンパッション」だ。

もちろん、力を合わせてうまく乗り越えれば、お互いに自己評価を高め合うことができる。だから、苦しみは積極的に口に出したほうがいいのだ。

ひとりしかいない

過酷な状況で仕事をしていても、それがどれほど大変で、ストレスであるか、客観的に判断できない

2人でいる

相手を見ることによって、いかに大変で困難な状況かを、客観的に判断することができる。また、相手への共感が生まれる

自己評価

他者と協力して目標を達成すれば、お互いに「よくやった」と認め合い、自分の評価を高めることもできる

オンライン時代ほど、会ったほうが仕事がうまくいく理由

アルバムに顔写真が貼られている。１枚だけ貼られている人と、複数枚貼られている人がいる場合、人は後者の人のほうに親近感を持つという実験結果がある。

この実験が意味しているのは、人は目に留まる回数が多い人のほうに、より深い親近感を抱くということである。だから、誰かに親しみを持ってほしいときには、とくに用事がなくても、「単純接触効果」を狙って何度でも相手に会うことが重要だ。

さらに人間には、相手の内面を知れば知るほど好感度が上がるという特長もある。これを「熟知性の原理」という。

ただ単に顔を知っているというだけでなく、さらに内面に踏み込んで性格や趣味などを知ると、単なる親近感だけでなく、より強い好感を抱くようになるのである。

ネット社会ではメールなどを使えばオンラインでの人間関係の構築も可能だ。しかし、そんな時代だからこそ、あえて足を使って相手と対面で会い、言葉を交わすことで内面を知ってもらうのである。

つまり、自分のことを「熟知」してもらうことにこそ大きな価値があるのだ。

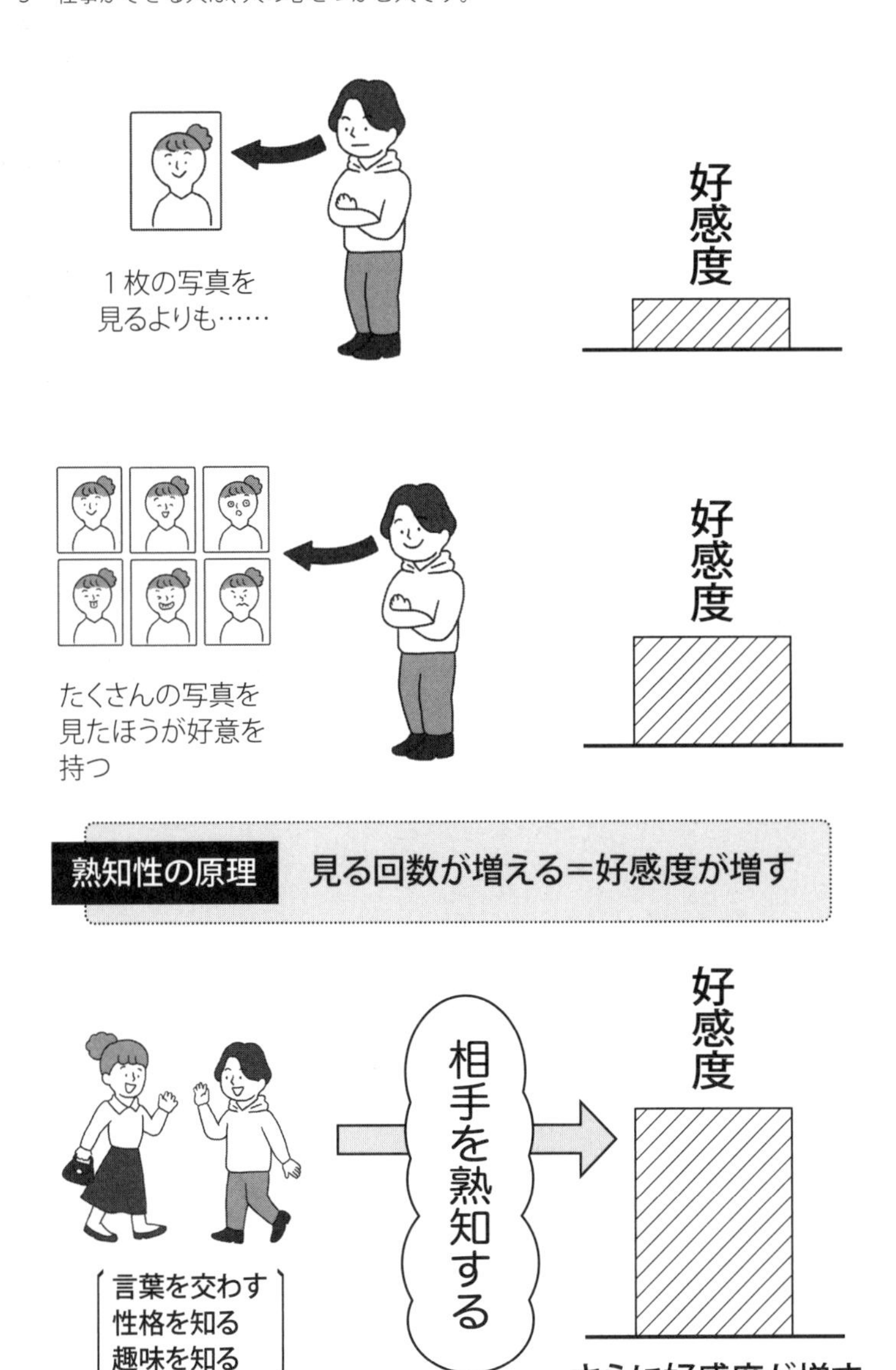
好感度
１枚の写真を
見るよりも……
好感度
たくさんの写真を
見たほうが好意を
持つ
熟知性の原理
見る回数が増える＝好感度が増す
好感度
言葉を交わす
性格を知る
趣味を知る
相手を熟知する
さらに好感度が増す

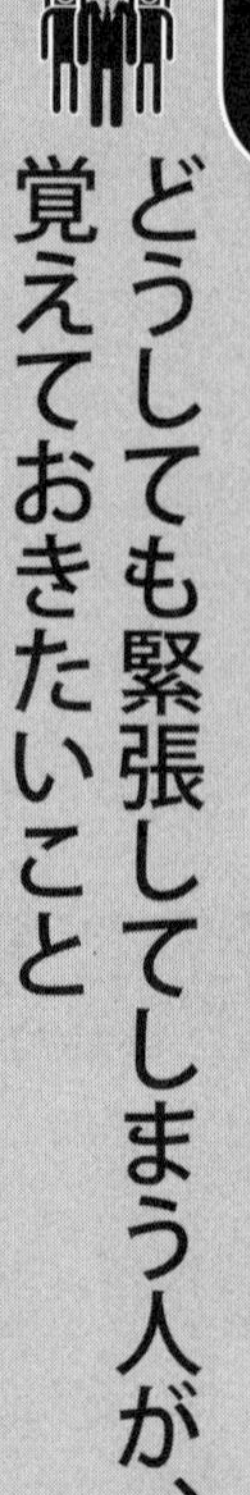

どうしても緊張してしまう人が、覚えておきたいこと

就職活動は、筆記試験や面接をはじめ、極度に緊張する場面の連続である。初めて訪問する会社で、初対面の面接官を前にするという非日常的な経験の連続なのだから、当然といえば当然だ。

しかも絶対に失敗できないというプレッシャーがあるので、かえって自分の弱点のことばかりを考えて弱気になり、ますます緊張感が増す。

それだけではない。就職活動というと、ほとんどの人は新品のスーツや靴で身を固めている。じつは、それがまた緊張感を増幅させるのだ。

ここぞというときの緊張感を和らげるには、新品のものではなく、身近なものが大きな効果を発揮する。

ボーンスタインという心理学者は、自分の身近にあるものを身につけているだけで、人はだんだんと緊張感から解放されて落ち着いてくるということを唱えている。

いつものスーツ、使いなれたペンや腕時計など身近にあるもの、ふだんの気分を思い出せそうなものに囲まれた状態をつくってみよう。それだけで、きっと落ち着くはずだ。

新しいスーツ
新しいネクタイ
新しい筆記具
新しい靴…

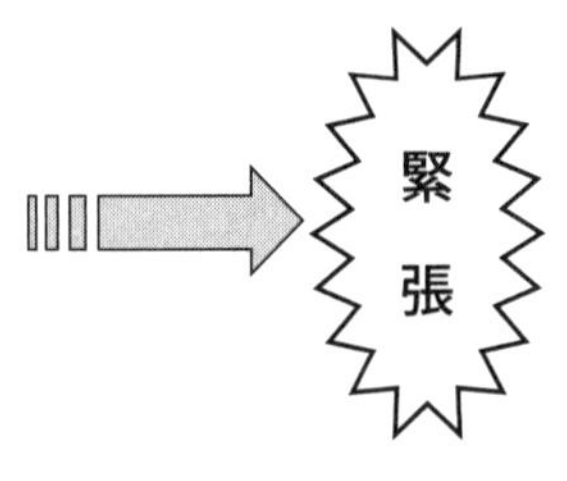

ボーンスタインの理論

自分の身近にあるものを身につけて、時々それに触れると、人は緊張感から解放されてリラックスする。

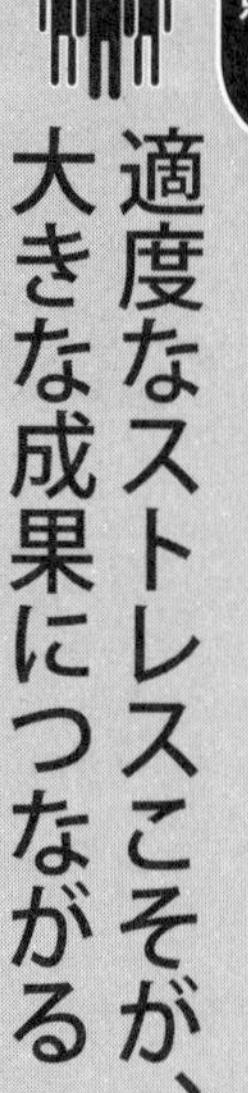

適度なストレスこそが、大きな成果につながる

ストレスは仕事や勉強をするうえでのマイナス要因ととらえられがちだ。しかし過度なストレスではなく、ちょうどいいストレスを与えることで、かえって効率的になり大きな成果につなげることもできる。これを「ヤーキーズ・ドットソンの法則」という。

ヤーキーズとドットソンという2人がネズミを使った実験を行い、学習効果とストレスの関係を調べた。その結果、まったくストレスがない状況や、逆にストレスが大きすぎる状況では、学習効果は上がらなかった。最も効果が上がったのは、中くらいの、ほどよいストレスを与えたときだったのだ。

これは人間でも同じだ。何らかの作業をする場合でも、ほどよいストレスがある環境のほうが効率がいいし、よい結果にもつながる。

たとえば、あえてギリギリのスケジュールを組むとか、達成できるかどうかわからないタイトな目標を設定するなどして、自分に対して負荷をかけるのだ。

すると、そこに適度な緊張感が生まれ、それが持続して最終的には期待以上の結果になることが多い。ストレスはなくすのではなく、うまく味方につけるということだ。

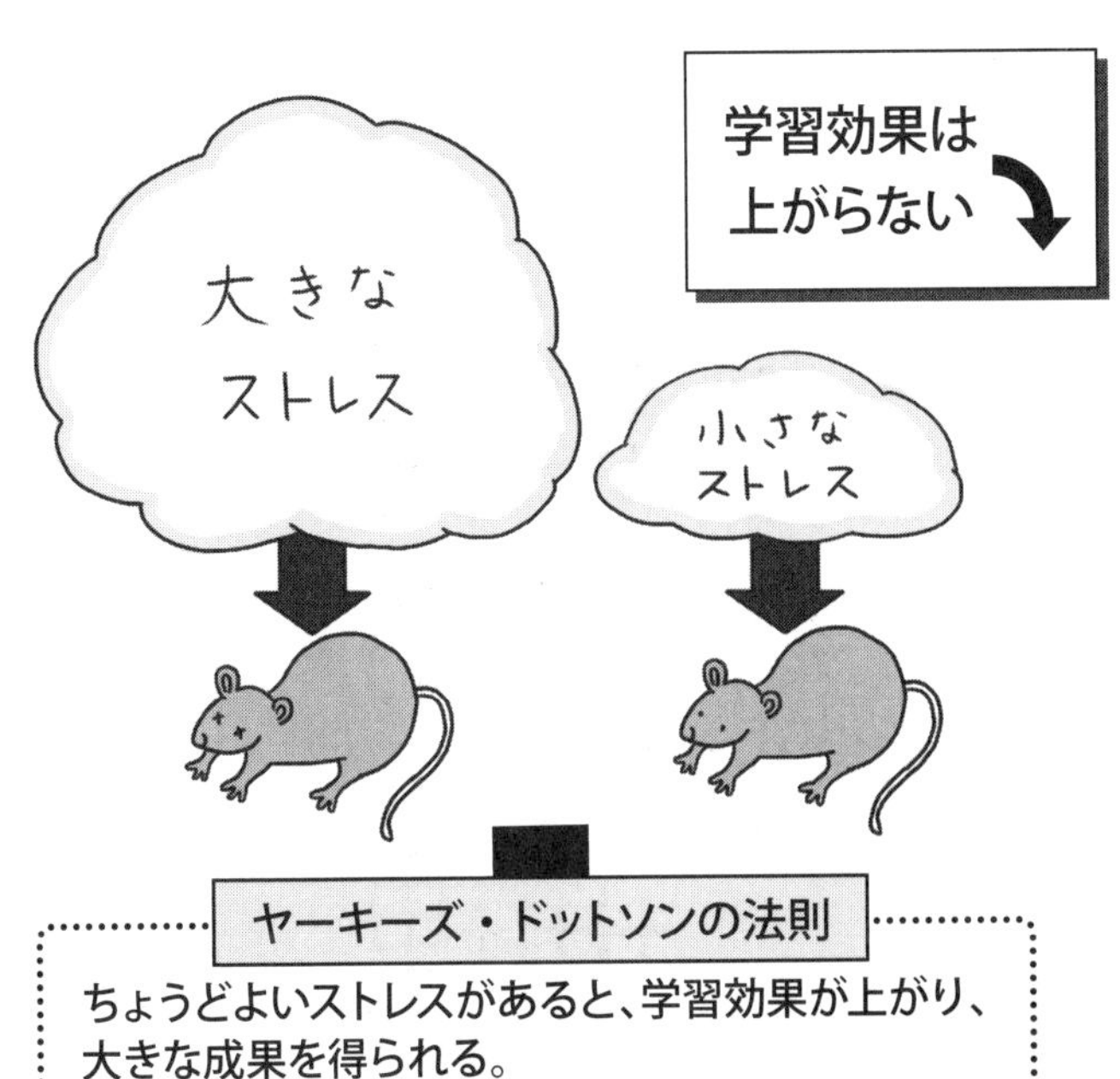

ヤーキーズ・ドットソンの法則

ちょうどよいストレスがあると、学習効果が上がり、
大きな成果を得られる。

学習効果が
上がる

マウスを使った実験では、大きすぎるストレスも、小さすぎるストレスも、どちらも学習効果にマイナスに働いた。大きくも小さくもなく、ちょうどよいストレスのときに、最も大きな学習効果が得られた。

6

「行動心理学」から見ると、世の中の裏側はこう見えます。

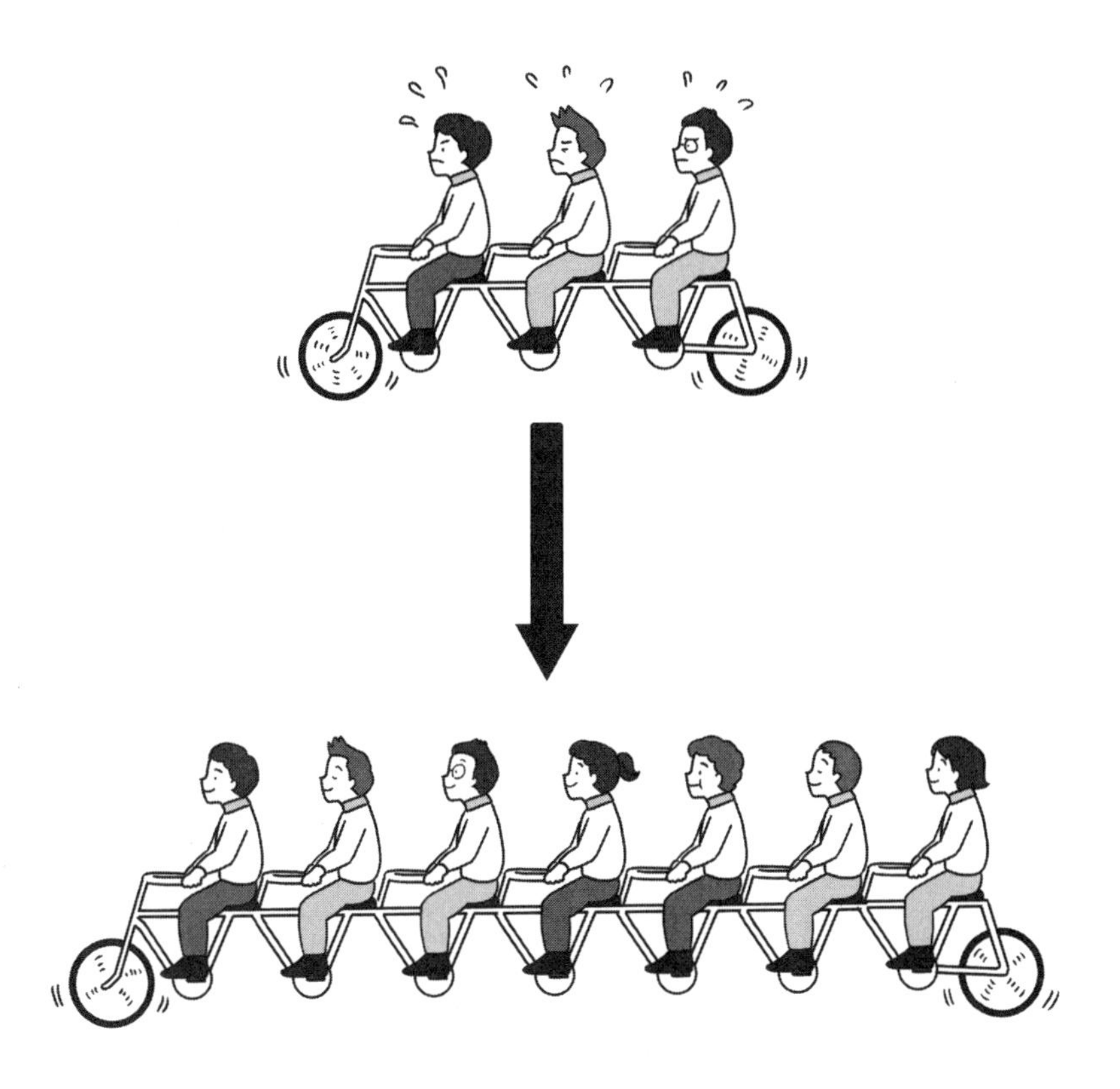

「歩いてみたくなる街」が犯罪に強い理由

痴漢や窃盗など、街で起きる犯罪を防ぐための都市設計で重要な視点は〝歩きやすい街〟だという。

犯行に及ぼうとする者にとって、当然のことながら「捕まらない」「逃げられる」というのは、犯罪現場を選ぶときに優先されるポイントだ。そのためには犯行を誰にも見られることなく、短時間で行えて、すぐに逃走できるのがベストだろう。

人通りが多い街では通行人の目が多い。つまり、常に誰かに見られている可能性がある。これこそが「集団的防犯」という考え方で、防犯に強い街づくりのポイントとなる。

防犯ブザーや護身術などは個人が行う防犯の代表的なものだが、それは起きてしまった犯罪に対するもので、犯罪を未然に防ぐ効果は薄い。その点、集団的防犯は犯罪を犯そうとする者が嫌がる状況を地域全体でつくり上げることで、犯罪が起きないようにするのだ。

そのために、歩道や街並みを整備し、車通りを抑制することで人間が歩きやすい街をつくる。防犯パトロールという意識がなくても、ぶらぶら歩く人が増えることで、防犯効果は格段に高まるのである。

◉POINT

徒歩で移動する人は、車で移動する場合に気づきにくい周囲の状況に目がいく。不特定多数の人が行き交えば、人は犯行に及びにくくなる。

※写真はイメージです。

ピアプレッシャー

ストレスフルな職場環境は、なぜ生まれるか

同調圧力は「ピアプレッシャー」とも呼ばれ、横並びが安心で、異質なものを嫌う日本的企業の体質を言い表している。

同調することが苦でない場合はそれほど問題も感じないが、働き方や個人の価値観、ジェンダー観など、本来なら違って当たり前のことでさえも、同質であるべきだという無言の圧力は、大きなストレスになりかねない。

長らく続いてきた終身雇用を知る年代の社員たちが企業風土をつくり出しているような歴史のある企業では、意識せずともピアプレッシャーが強くなりがちだ。


誰しも知るような大企業で、度を超えた残業やパワハラによるストレスを抱えて、若い社員が自ら命を絶つほど追いつめられるようなブラックな働き方がなくならないのも「みんながやっているのだから当たり前」という意識が根強いことが大きな原因のひとつだろう。

同じ釜の飯を食うというスピリットは結束力というプラスの力になる一方で、個人の心を蝕むほどの強烈な圧力になる。この状況を改善するためには、単に個人的な問題としてとらえるのではなく、現場のしくみや組織のあり方を見直す必要があるのだ。

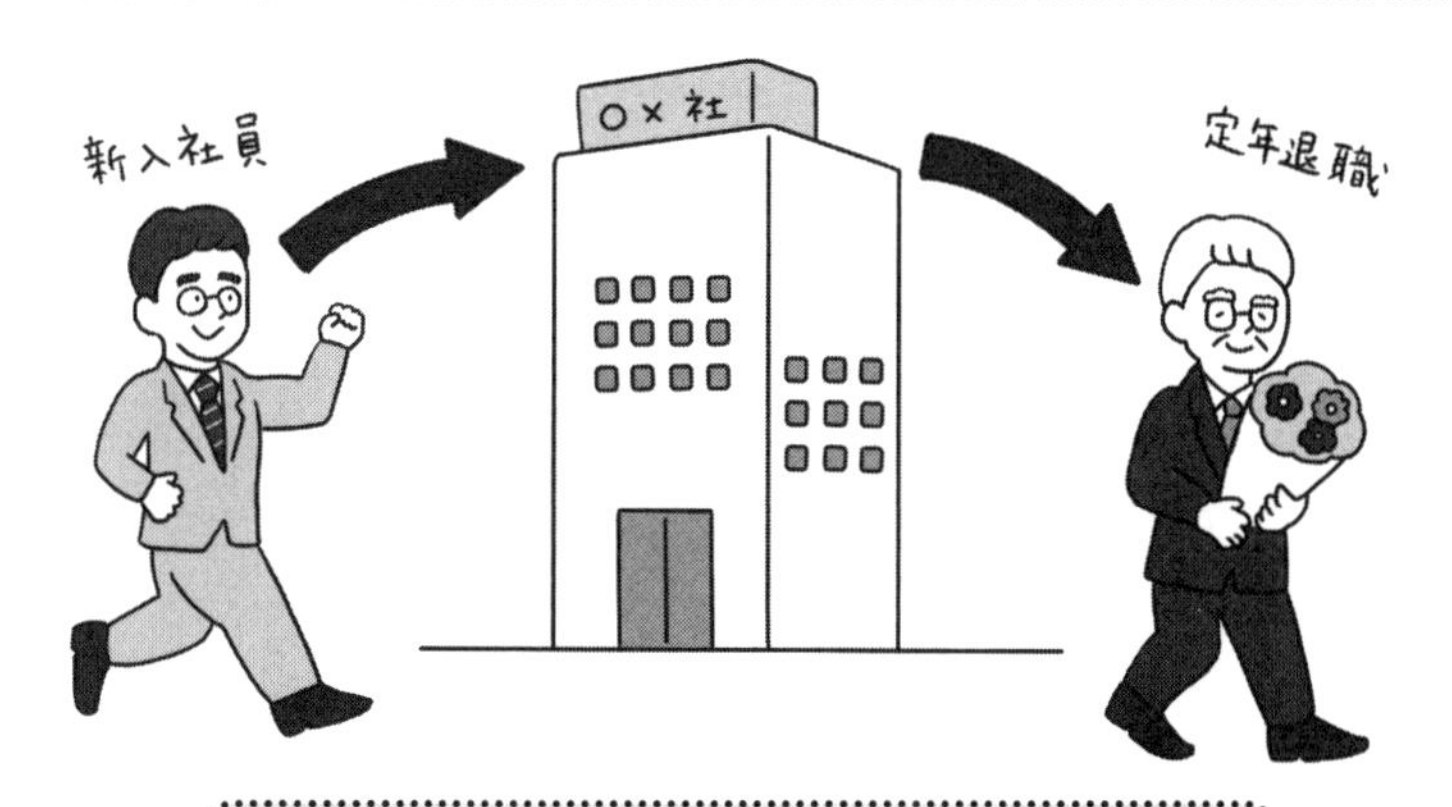

新入社員として一斉に採用されてから定年まで勤めるのが日本的な終身雇用制度の姿で、均質化された働き方の中ではピアプレッシャーがより強く働く。

関係のない2つのものをあえてつなげることの心理効果

「連合の原理」とは、まったく関係がない二つのものを結びつけてしまう心理のことだ。これを利用しているのが、企業が行う好感度の高いタレントを起用したCMなどの広告事業だ。そのタレントが持っているプラスのイメージを企業や商品などに結びつける効果を狙っている。

これがうまくいくと企業にもタレントにもうま味があるのだが、いったんどちらかのイメージがダウンしてしまうと、もう片方のイメージも巻き込まれる形で落ち込んでしまう。

そのため、企業とタレントの間では、素行やプライベートに関する細かい契約が交わされる。もしタレントが不祥事を起こした場合、企業はそのイメージダウンの影響をできるだけ小さくするため迅速に動き、CMを打ち切ったり、イメージキャラクターの契約を破棄する必要があるのだ。

連合の原理は、人間ではなくモノにも当てはめることができる。同じ場所に行っても、晴れた日と雨の日では印象が違ったり、好物を一緒に食べるとその相手にまで好感を持つなど、日常的な場面でもその影響を感じることができるはずだ。

A
+
B
=
AB
(好きなもの)
(どちらも好き)
イメージが
アップ
イメージが
ダウン
好感度の高いタレントのイメージにつられて商品のイメージも上がる
イメージキャラクターのタレントの好感度が下がると、商品のイメージもつられて下がる
CAFE
good
bad
同じ店でも晴れた日に訪れるとよいイメージを抱き、
悪天候の日に行くと悪いイメージを抱く。

急成長の後に伸び悩むベンチャー企業の背後にあるもの

子どもが迷子になる場面で意外と多いのが、子どもの数に対して大人も多かったというケースだ。見る人が多ければ迷子にはなりにくいと思いきや、かえって「誰かが見ているだろう」という油断が生じやすくなる。これが「社会的手抜き効果」だ。

少人数で活動するときは一人一人が全力で取り組んでも、そこにメンバーを足して人数を倍にしたら、倍の結果が得られるとは限らない。人数が増えると人間は自然と手を抜くのだ。

たとえば、飛ぶ鳥を落とす勢いだったベンチャー企業が伸び悩む場合でも、この心理の影響を受けているケースがあるという。

もちろん、さまざまな原因があるだろうが、創業当初、少ない人数でがむしゃらに働いていた時期に比べて、経営が軌道に乗った結果として社員を増やしたことで、社会的手抜き効果が働いてしまうというのは十分ありうるのである。

誰かがやるから自分一人くらいやらなくてもいいだろうというちょっとした気の緩みは、集団全体に対する強力なブレーキとなってしまう可能性もあるのだ。

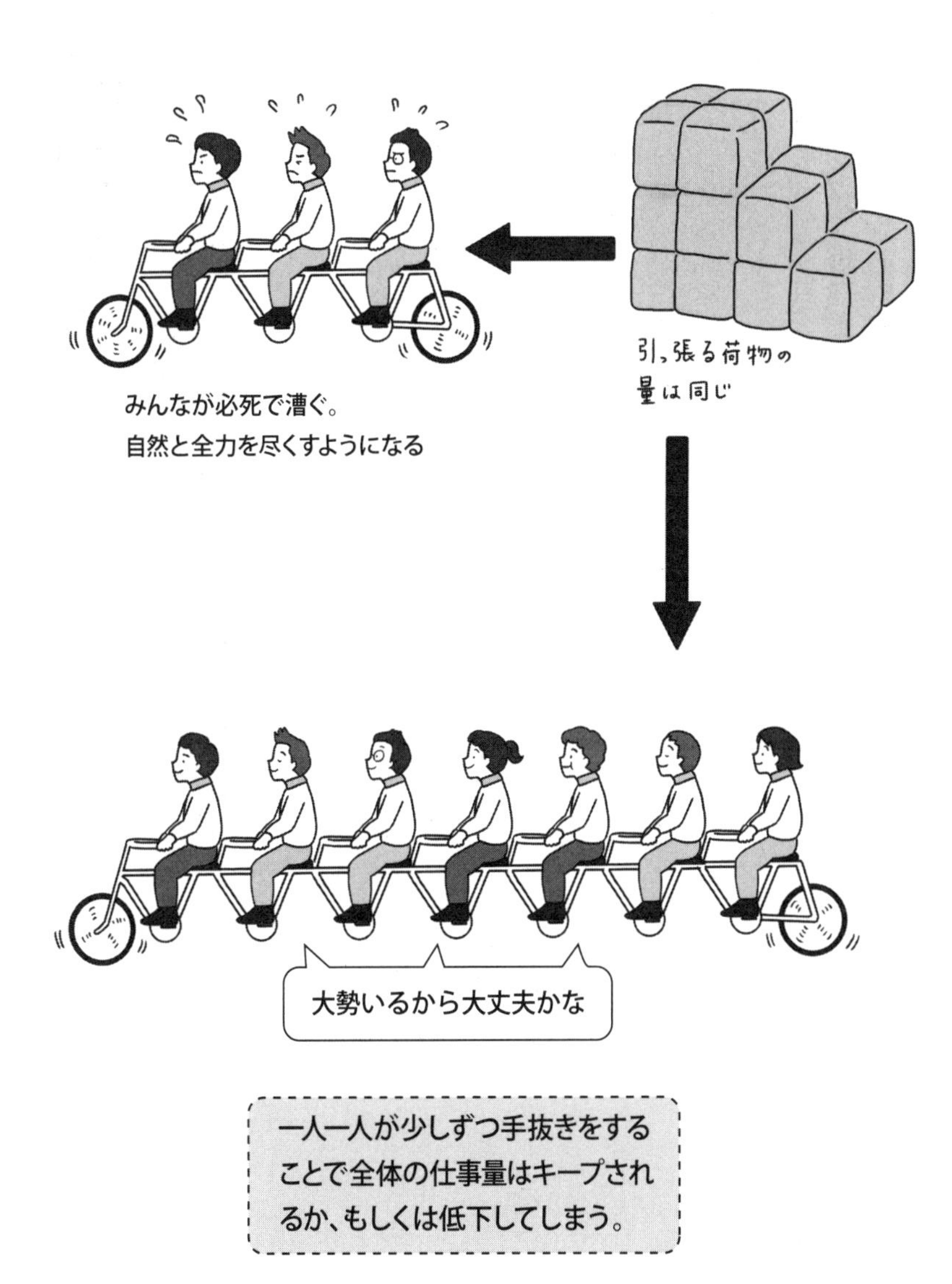
引っ張る荷物の
量は同じ
みんなが必死で漕ぐ。
自然と全力を尽くすようになる
大勢いるから大丈夫かな
一人一人が少しずつ手抜きをする
ことで全体の仕事量はキープされ
るか、もしくは低下してしまう。

あえて露出を絞ることで、人気上昇する心理戦略

人間はよく見るものに対して高評価を与える性質があるが、これを「顕著性効果」と呼ぶ。人気稼業であるアーティストにとっては、人より目立つことは成功するための重要な戦略のひとつだ。

たとえば現在の音楽シーンでは、ユーチューブ出身のボカロPや歌い手の人気で、露出の場はテレビや雑誌などのオールドメディア以外にも広がっている。

テレビに出ないアーティストというのは昔から存在したが、現在では、自らのイメージを戦略的に打ち出すやり方として、単に露出しないのではなく、限定的なイメージに絞るアーティストも多いのだ。

彼らは自分の映像ではなく、人気のイラストレーターたちが手掛けるイラストを多用することで、思い通りのイメージを受け手に与えることができる。顔を出さずに見せたいイメージだけをイラストなどで効果的に目立たせ、好印象を植えつけているのだ。

単純に露出を増やすのではなく、見せたいイメージだけに絞って目立たせるというやり方は、顕著性効果をうまく利用しているといえる。

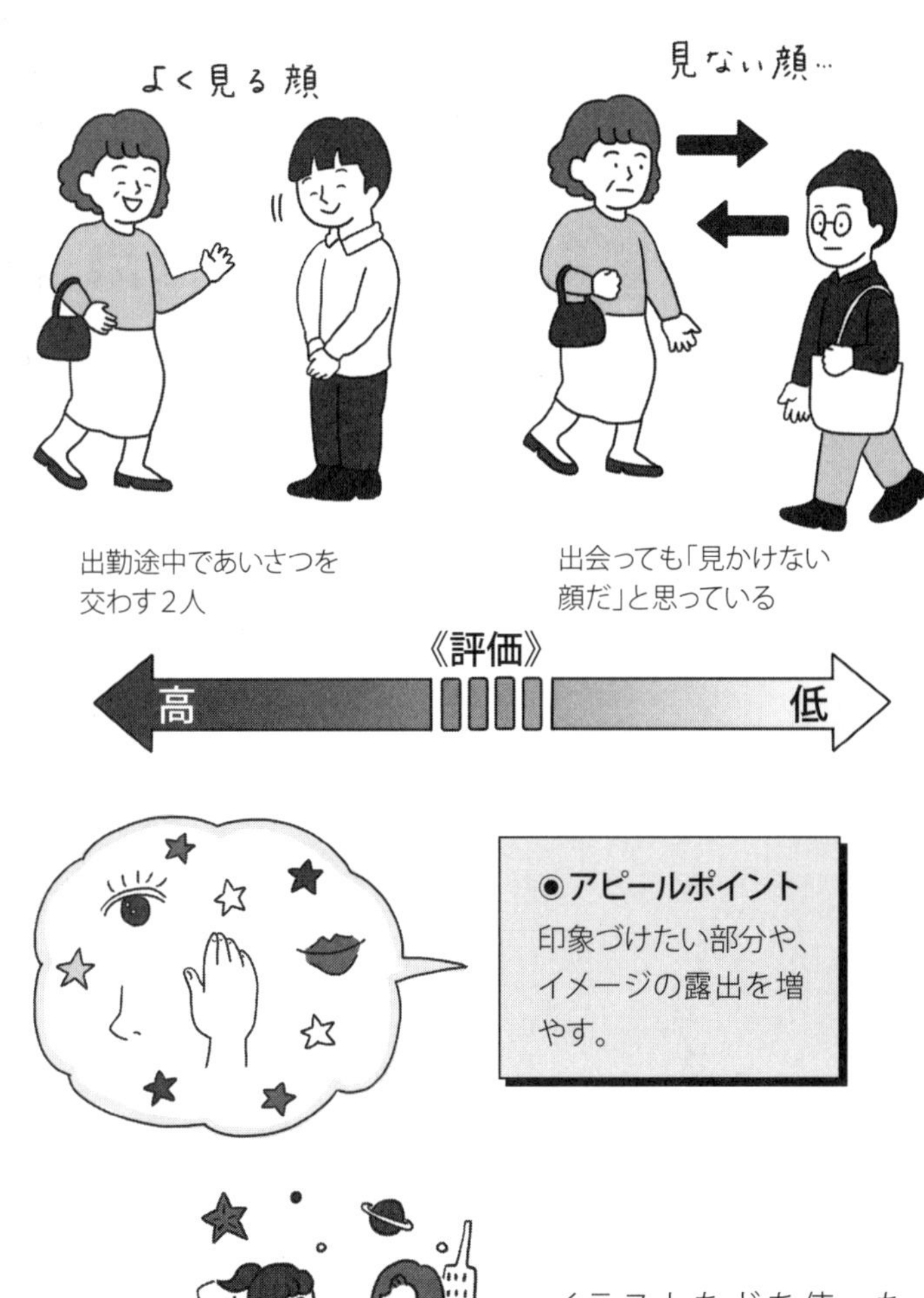
よく見る顔
見ない顔…
出勤途中であいさつを
交わす2人
出会っても「見かけない
顔だ」と思っている
《評価》
高
低
◉アピールポイント
印象づけたい部分や、
イメージの露出を増
やす。

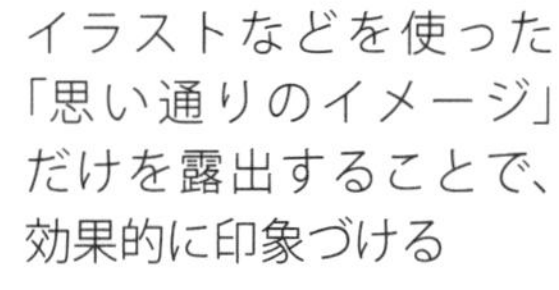
イラストなどを使った
「思い通りのイメージ」
だけを露出することで、
効果的に印象づける

トワイライト効果

「いい感じの店」は薄暗くすることで、どんな効果を狙う？

高級なレストランやバーなどは、インテリアもおしゃれで凝っているものだが、見逃せないのが照明の存在だ。

煌々と明るい白熱灯が天井に設置されているというよりは、少し暗めでインテリア性が高い照明器具や、フロアランプなどの間接照明を効果的に使っている店が多い。

これはおしゃれであることに加えて「トワイライト効果」と呼ばれる心理効果を高めている。トワイライトとは薄明かりのことで、日暮れどきや明け方などの薄暗いような空の色を思い浮かべればわかるだろう。

アメリカで行われた実験では、明るいところより薄暗いところのほうが、コミュニケーションが親密になるという結果が出ている。

高級レストランやバーなどは、コミュニケーションを親密にとりたい相手と訪れる機会が多いことから、それを促すように少し薄暗い照明が取り入れられているのだ。

トワイライト効果は自宅でも簡単に試すことができる。天井の照明を電球色に替えたり、ランプを設置してみるだけで、見慣れた部屋が「いい感じの店」のように感じられるはずだ。

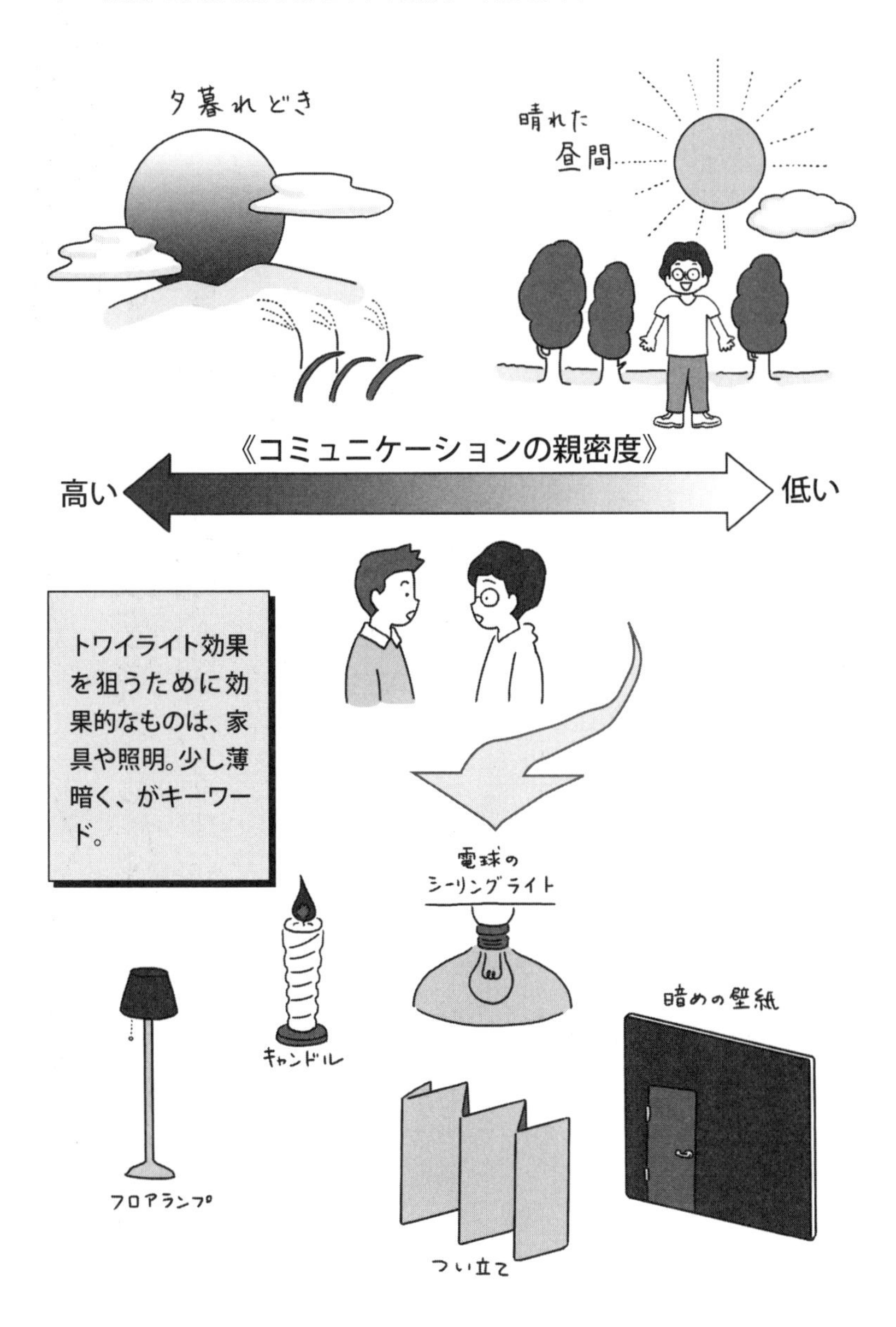
夕暮れどき
晴れた
昼間
《コミュニケーションの親密度》
高い
低い
トワイライト効果を狙うために効果的なものは、家具や照明。少し薄暗く、がキーワード。
電球の
シーリングライト
キャンドル
フロアランプ
暗めの壁紙
つい立て

あえて品数を減らしたほうが売れる人間心理の不思議

ウインドーショッピングであれこれ目移りして、結局何も買わずに帰ったなどという経験は誰にでもあるだろう。選択肢が多いことは、決定しづらい状況をつくり出す危険性がある。

アメリカの心理学者アイエンガーが行った実験では、24種類のジャムと6種類のジャムを並べて売ったところ、6種類を並べたときのほうが圧倒的に売り上げがよかったというのだ。

24種類のジャムは試食した人こそ多かったが、実際に購入したのは3％にとどまった一方、6種類のほうは試食する人数は減ったものの、購入したのは30％に上ったのである。

つまり、選択肢の数を絞り込むことで売り上げに影響を与えることができるわけだ。

これを生かした形にしているのが、コンビニエンスストアだ。店舗面積も小さく、棚の数も少ないが、そこに少数の売れ筋商品を置くことで、買い物客は迷うことなく購入できる。

毎年のように大ヒットするコンビニスイーツが生まれるのも、このセオリーに則ればけっして驚くような現象ではないのである。

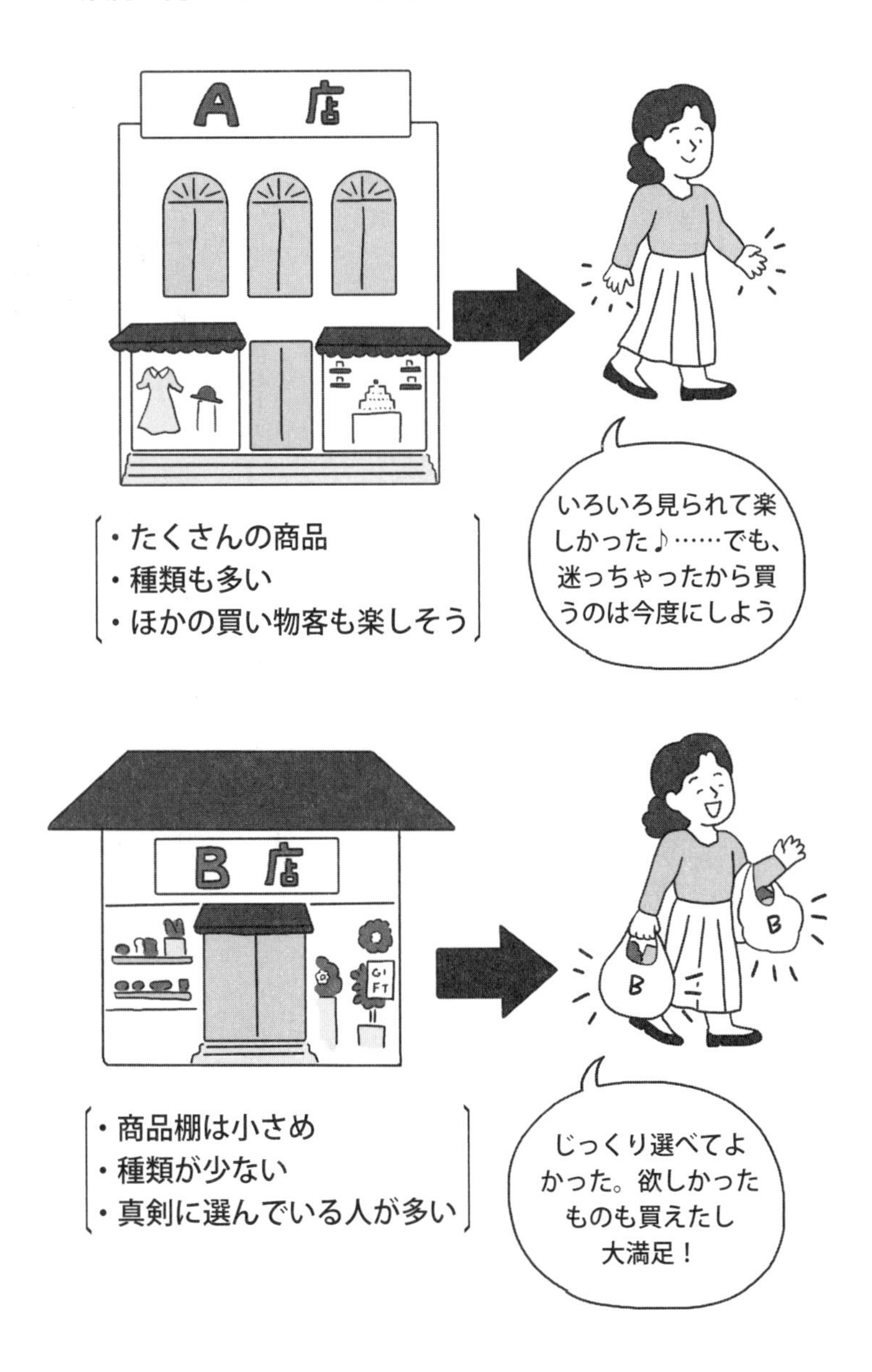
A 店
・たくさんの商品
・種類も多い
・ほかの買い物客も楽しそう
いろいろ見られて楽しかった♪……でも、迷っちゃったから買うのは今度にしよう
B 店
GIFT
B
B
・商品棚は小さめ
・種類が少ない
・真剣に選んでいる人が多い
じっくり選べてよかった。欲しかったものも買えたし大満足！

ショッピングモールのセールが、同じ日程で開催される理由

口コミで評判がいいもの＝みんなが買っている。売り上げナンバーワンや、人気ナンバーワンは手に取りやすい

アパレルショップなどが展開するセールは、多くの場合、夏と冬の2回行われる。たくさんのショップがテナントとして集まっている百貨店やショッピングモールでは、ほとんどの店が日程を合わせてセールを行うのだが、これは「同調効果」を狙った戦略だ。

　同調効果とは周囲の人と同じ行動をしたい、同じ意見を持ちたいと感じる心理のことである。

　セール開始の日程を揃えることで、多くの人がショッピングモールを訪れる。

◉ショッピングモールにて

同じ時期にセールがあると、各店舗を訪れた客がほかの店にも行くので相乗効果になる

目当ての店は違っても、各店舗のショッパーを抱えた人が行き交うことで、購買行動に対する同調効果を高めることになる。

それぞれの店が個々にセールを行うよりも効率的に集客することができるうえ、お目当ての店以外でも買い物をする確率も上がるのだ。

同調効果はマーケティング手法としてはメジャーなもので、口コミやレビューなどで評価の高いものを選んだり、売れ筋の商品を選んだりするのも同調効果のなせるワザだ。

集団に対して右へ倣えをする傾向が強い日本人には、「みんなが買っている」というのは一種のキラーワードとなる。

人波につられて店に立ち寄ってみればセール価格でお得感も手伝って、さらに財布の紐は緩んでしまうのである。

■執筆にあたっては、以下の資料を参考にさせていただきました。

『ビジネス心理学』匠英一／経団連出版
『やさしい行動経済学』日本経済新聞社編／日本経済新聞出版社
『世界一やさしい心理操作テクニック図鑑』齋藤勇監修／宝島社
『錯覚のトリック』清田予紀／三笠書房
『なぜ「あの場所」は犯罪を引き寄せるのか』小宮信夫／青春出版社
『今日から使える心理学』（渋谷昌三／ナツメ社）
『植木理恵のすぐに使える行動心理学』植木理恵監修／宝島社
『使える！悪用禁止の心理学テクニック』岡崎博之編著／宝島社
『今日から使える行動心理学』齊藤勇著／ナツメ社
『幸運を引き寄せる行動心理学入門』植木理恵著／宝島社
『他人の心がわかる心理学用語事典』（渋谷昌三／池田書店）　ほか

▼参考ホームページ

医療法人社団　平成医会、ベネッセ教育総合研究所、日本経済新聞社、HubSpot、日本の人事部ほか

《監修者紹介》

匠 英一（たくみ　えいいち）

和歌山市生まれ。東京大学大学院教育学研究科を経て東京大学医学部研究生修了。学生時代から学びの楽しさをコンセプトにした塾経営、東進スクール研究所の顧問やデジタル教材の監修・企画をし、90年に日本初の認知科学専門のコンサル会社（株）認知科学研究所を創設。

心と行動・脳を統合する「認知行動科学」を軸として、人材開発、コーチング、マーケティング等の研究とコンサル研修に取り組んでいる。経営心理コンサルタントとして大手メーカーのコンサルや業界団体（15件）を自ら企画創設するなど実績多数。

現在はデジタルハリウッド大学教授、学び＆遊びを育てる会代表、また日本ビジネス心理学会副会長としてビジネス心理検定の資格普及に取り組んでいる。

『ビジネス心理学』（経団連出版）、『男心・女心の本音がわかる 恋愛心理学』（ナツメ社）、『1日1分！ 目からウロコの勉強法』（青春出版社）ほか著書多数。〝しぐさ分析の専門家〟としてＴＶ出演も数多い。

1分でスッキリ！　行動心理学
なぜ、あの人は予測を裏切るのか

2021年12月30日　第1刷

監修者　匠　英　一

発行者　小澤源太郎

責任編集　株式会社　プライム涌光
電話　編集部　03(3203)2850

発行所　株式会社　青春出版社
東京都新宿区若松町12番1号 〒162-0056
振替番号　00190-7-98602
電話　営業部　03(3207)1916

印刷　三松堂　　製本　大口製本

万一、落丁、乱丁がありました節は、お取りかえします。
ISBN978-4-413-23232-6 C0011